海外漢文古醫籍精選叢書・第二輯

2011—2020年國家古籍整理出版規劃項目

中國中醫科學院「十三五」第一批重點領域科研項目

——我國與「一帶一路」九國醫藥交流史研究（ZZ10-011-1）

蕭永芝◎主編

# 本草綱目釣衡

# 傷寒論金匱要略藥性辨

（日）向井元秀　撰

（日）大江學　撰



北京科学技术出版社

圖書在版編目（CIP）數據

海外漢文古醫籍精選叢書・第二輯・本草綱目鈎衡　傷寒論金匱要略藥性辨/蕭永芝主編. —北京：北京科學技術出版社，2018.1

ISBN 978－7－5304－9216－1

Ⅰ. ①海…　Ⅱ. ①蕭…　Ⅲ. ①本草—研究—日本—江户時代②《傷寒論》—研究—日本—江户時代③《金匱要略方論》—研究—日本—江户時代　Ⅳ. ①R281.3②R222.29③R222.39

中國版本圖書館 CIP 數據核字（2017）第207331號

海外漢文古醫籍精選叢書・第二輯・本草綱目鈎衡　傷寒論金匱要略藥性辨

主　　編：蕭永芝
責任編輯：楊朝暉　董桂紅　周　珊
責任印製：李　茗
出 版 人：曾慶宇
出版發行：北京科學技術出版社
社　　址：北京西直門南大街16號
郵政編碼：100035
電話傳真：0086-10-66135495（總編室）
　　　　　0086-10-66113227（發行部）　0086-10-66161952（發行部傳真）
電子信箱：bjkj@bjkjpress.com
網　　址：www.bkydw.cn
經　　銷：新華書店
印　　刷：虎彩印藝股份有限公司
開　　本：787mm × 1092mm　1/16
字　　數：318千字
印　　張：27.25
版　　次：2018年1月第1版
印　　次：2018年1月第1次印刷
ISBN 978－7－5304－9216－1/R・2377

定　　價：780.00元

# 《海外漢文古醫籍精選叢書·第二輯》編纂委員會

# 前言

二十多年前，本研究團隊成員蕭永芝剛剛考入中國中醫研究院（現爲中國中醫科學院）攻讀博士學位，師從著名中醫文獻學家馬繼興先生。那時，馬老師經常對弟子們説：「中國的醫書要回歸，海外的醫書要引進。」馬老師的前一個願望，得到日本學者真柳誠先生鼎力支持，后来在鄭金生先生帶領的團隊的努力下，流散海外的重要中國古醫籍得以收集回歸，并通過《海外中醫珍善本古籍叢刊》等幾套叢書公開出版；馬老師關於引進海外古醫籍的願望，則成爲本研究團隊二十多年來不懈努力的方向。

從二〇〇七年開始，中國中醫科學院中國醫史文獻研究所多次立項支持開展對海外古醫籍的研究。二〇一六年，《海外漢文古醫籍精選叢書》被列入二〇一一—二〇二〇年國家古籍整理出版規劃項目，并獲得該年度國家古籍整理出版專項經費資助。二〇一七年初，在北京科學技術出版社的支持下，《海外漢文古醫籍精選叢書·第一輯》面世，收録影印了二十六種海外醫家用漢文撰寫的古醫籍。回想當年，馬老師正當年富力强，雄心勃勃，胸懷衆多願景，還希望做更多的研究；如今，他已年逾九旬，弟子終於戰戰兢兢捧上一份答卷……

二〇一七年，中國中醫科學院將「我國與『一帯一路』九國醫藥交流史研究」列入本院「十三五」第一批重點領域科研項目。在前期工作的基礎上，本團隊再次遴選出二十種海外漢文古醫籍，以影印形式出版《海外漢文古醫籍精選叢書·第二輯》。

本次所精選的圖書含日本醫籍十三種、越南醫籍五種、韓國醫籍二種，内容涉及醫經、醫論、本草、醫方、針灸、兒科、臨床綜合及醫學全書。我们根據實際情况分别爲二十種著作撰寫了三千到萬餘字不等的内容提要，每篇提要從作者與成書、主要内容、特色與價值、版本情况四個方面展開論述。

本次所收醫籍的主要資訊，依次爲書名、卷（編）數、分類、撰著者、成書年代和所用底本，具體如下。

《難經捷徑》，二卷，醫經，（日）曲直瀨玄由撰，寬永十四年（一六三七）以活字本初刊，同年古活字本。

《海上大成懶翁集成先天》，一卷，醫論，（越）黎有卓撰，撰年不詳，鈔本。

《櫟蔭先生遺説》，二卷，醫論，（日）多紀元簡遺作，多紀元堅輯録，撰年不詳，慶應三年（一八六七）森約之鈔本。

《寸楮集》，不分卷，醫論，（日）曲直瀨道三撰，曲直瀨正琳注，撰年不詳，鈔本。

《用藥心法》，一卷，本草，（日）曲直瀨道三傳，津島道救選輯，慶長十二年（一六〇八）成書，鈔本。

《本草綱目鈞衡》，四卷，本草，（日）向井元秀撰，撰年不詳，寬政九年（一七九七）鈔本。

《傷寒論金匱要略藥性辨》，三編（存中、下二編），本草，（日）大江學撰，明和三年（一七六六）成書，次年刻本。

《古方藥議》，五卷，本草，（日）淺田宗伯撰，文久元年（一八六一）成書，文久三年（一八六三）鈔本。

《秘傳藥性記》，不分卷，本草，（日）味岡三伯撰，元禄元年（一六八八）初刊，同年刻本。

《管蠡備急方》，三卷，醫方，（日）度會常光撰，天文三年（一五三四）成書，鈔本。

《崇蘭館試驗方》，不分卷，醫方，（日）福井楓亭口授，撰年不詳，鈔本。

《古方藥説》，二卷，本草，（日）宇治田泰亮撰，寛政七年（一七九六）刊，同年刻本。

《家傳醫方》，不分卷，醫方，（越）撰者佚名，明命三年（一八二二）成書，同年鈔本。

《醫方軌範》，存卷下，醫方，（日）今大路玄淵傳，撰年不詳，鈔本。

《辨證配劑醫燈》，三卷，臨證綜合，（日）曲直瀨道三撰，元龜二年（一五七一）成書，鈔本。

《雜病提綱》，不分卷，臨證綜合，（朝）撰者佚名，撰年不詳，鈔本。

《穴處治法》，不分卷，針灸，（朝）撰者佚名，撰年不詳，鈔本。

《針灸法總要》，不分卷，針灸，（越）撰者佚名，明命八年（一八二七）成書，嗣德三十三年（一八八〇）鈔本。

《家傳活嬰秘書》，不分卷，兒科，（越）撰者佚名，撰年不詳，成泰二年（一八九〇）鈔本。

《新鐫海上懶翁醫宗心領全帙》，六十六卷（存五十五卷），醫學全書，（越）黎有卓撰，景興三十一年（一七七〇）成書，嗣德三十二年（一八七九）至咸宜元年（一八八五）間刻本。

上述海外古醫籍，絶大多數用漢文撰著，僅有個别醫書雜有少量日文或喃文。以上書籍中明確標明完成時間或可大致推測出撰寫時段的醫書，多成書於十六至十九世紀，大致相當於中國明清時期，其中不乏學術價值較高的名家名著。以「越南醫聖」黎有卓與日本醫學中興之祖曲直瀨道三爲例介紹如下。

黎有卓，自號海上懶翁，是越南歷史上最負盛名、影響最大的醫家，被後世尊爲「越南醫聖」。他在汲取中國醫學精髓的基礎上，結合越南本土醫療實踐，撰成六十六卷規模的鴻篇巨著《海上懶翁醫宗心領》。該書是越南傳統醫學歷史上第一部内容系統完備的綜合性醫學全書，標志着越南傳統醫學的本土化基本完成，在該國醫學史上具有里程碑式的意義。二〇〇三年，真柳誠先生首次在日本向蕭永芝推薦《海上懶翁醫宗心領》一書；二〇〇四年，蕭永芝回國後隨即向馬繼興先生報告此事，馬老師師徒幾人當即前往中國國家圖書館考察該書；此後，本團隊在研究過程中發現，中國醫史文獻研究所已故老專家趙璞珊先生曾在二十世紀八十年代就撰文介紹過該書；二〇〇八年，真柳誠先生再次建議出版該書。中外幾代學者對《海上懶翁醫宗心領》的重視，也從一個角度説明了該書的價值和重要性。因此，在《海外漢文古醫籍精選叢書·第一輯》中，本團隊先期影印了黎有卓《海上懶翁醫宗心領》早期流傳的四册鈔本，冠以《懶翁醫書》之名出版；本次則將刻本《新鐫海上懶翁醫宗心領全帙》現存的五十五卷全部影印出版，希望能够反映出越南傳統醫學的精華及其學術淵源。此外，本叢書收録的鈔本《海上大成懶翁集成先天》，亦爲黎有卓醫書早期的手稿或傳抄之本。

曲直瀨道三（正盛），日本中世紀末期著名醫家、醫學教育家，對日本醫學産生過深遠的影響，被譽爲日本醫學中興之祖。道三早年師從曾入明學醫的名家田代三喜，受其師影響創立了日本漢方醫界的後世方派。爲改變當時日本醫者單純依賴《太平惠民和劑局方》診病處方的被動局面，道三提出「察證辨治」，即診察每位患者的病證，然後有針對性地予以配劑施治。道三一生著述頗豐，其《辨證配劑醫燈》一書，載述臨床各科常見病證的病因病機、診斷察證、辨治預後及注意事項。全書貫串着診察辨證的思想，是後世方派系統實用的臨證處方秘典。曲直瀨家族是日本著名的醫學世家，世代名賢輩出，亦有衆多醫著流傳。例如，曲直瀨玄由祖述《黄帝内經》，博采諸家注本之言，參以己見，全文注解并闡發《難經》之旨，撰成《難經捷徑》一書，是日本現存較早的《難經》注解性著作，具有較高的研究價值。曲直瀨正琳輯録并注釋道三親傳之心法秘訣，書成之後定名爲《寸楮集》。該書作爲後世方派的秘傳經驗合集，充分體現了道三察證辨治、重視脉診的學術特色。曲直瀨玄鑑被後陽成天皇賜予「今大路」的家號，之後曲直瀨家子孫均改姓今大路。如今大路玄淵，爲曲直瀨（今大路）家第六代道三，他將家族精心甄選并經歷代親試的效驗良方彙編爲《醫方軌範》一書，所收醫方涵括臨床各科，具有較高的臨床實用價值。此外，曲直瀨道三還創辦了日本歷史上第一所醫學校啓迪院，培養了衆多門生弟子，其中部分弟子成爲日本醫界的中流砥柱。如門人津島道救選編道三的臨床用藥、辨治經驗，彙爲《用藥心法》一書。該書凝聚了道三畢生臨證用藥經驗之精華，處處體現出道三察病辨治的核心思想。曲直瀨道三的養子玄朔培養了弟子饗庭東庵。饗庭東庵及其徒味岡三伯是後世方別派的代表醫家。味岡三伯將本草學理論與臨床實踐相結合，融入自己對疾病及用藥的感悟，選取該流派臨床常用效驗之藥，分别述其和名、炮製、性味、功效、主治、禁忌及所涉方劑等，編撰《秘傳藥性記》一書，系統條理，重點突出，便捷實用，體現了中國醫藥理論及其實踐對日本本土醫藥學發展的影響。

上述六部醫籍均傳承了曲直瀨道三獨特的學術理念與臨證實用經驗秘訣，展示了道三深厚的醫學造詣及其醫學思想在日本的傳承發展。幾部著作之間既有獨特的價值韵味，又有着千絲萬縷的内在聯繫，從不同角度反映了曲直瀨道三及其子孫、弟子的學術特色。讀者可綜合比較閲讀，以便更好地理解并挖掘日本漢方醫學後世方派的學術精髓。

曲直瀨道三主要活躍於十六世紀中後期，以其爲鼻祖的後世方派注重吸收中國宋金元明醫學精華，尤其推崇李東垣、朱丹溪兩位醫家的醫學思想。十七世紀中葉，日本著名醫家名古屋玄醫提出醫學復古論，倡導回歸張仲景《傷寒論》《金匱要略》的古醫學，之後又有後藤艮山、香川修德、吉益東洞等名醫及弟子繼其衣鉢。這些醫家自稱爲古方派。在漢代盛行的仲景古方，經他們的闡釋發揮，被賦予了新的生命。本叢書收録的《傷寒論金匱要略藥性辨》《古方藥説》二書，均是爲日本醫者更好地運用仲景醫方而作。《傷寒論金匱要略藥性辨》對仲景醫方所用的藥物逐一辨正，注重鑒别藥材的真僞優劣與相似藥材的辨别應用，側重於闡釋藥物的藥性、功用、主治與臨床應用。《古方藥説》的作者宇治田泰亮，曾師從古方派吉益東洞的弟子中西惟忠與當時的本草大家小野蘭山，兼通傷寒、本草。該書詳細論述了仲景方中部分藥物的名稱、形態、產地、真贋優劣、炮製加工及替代用品。除古方派醫家在研究仲景方中的藥物外，折衷派醫家也對仲景方中的藥物多有研究，如折衷派代表人物淺田宗伯。其書《古方藥議》收録部分仲景醫方用藥，分「釋品」與「釋性」兩項記述藥物，結合仲景原方藥物組成及藥味加減，闡釋藥物的性味、功用，重視藥物的配伍，處處體現出方中有藥、藥中有方的思想。三部醫籍雖分屬古方派和折衷派的本草著作，側重點各有不同，但也存在許多共通之處。例如，三書記載藥物的次序，均依從相關醫方在《傷寒論》《金匱要略》出現的先後順序。讀者若能綜合參閲上述三書，既可加深對日本江户時代古方派用藥特點以及當時藥材種植、采收、炮製與流通情况的了解，又可對仲景醫方用藥有更深刻的認識，臨證運用時也會更加得心應手。

江户時代中期，日本傳承舊學的本草學術漸廢，諸家新説盛行；中國明代李時珍撰著的《本草綱目》也已傳入日本。《本草綱目鈎衡》即是一部運用傳統文獻考據方法研究《本草綱目》的本草學專著。該書對李時珍所載部分藥物逐一進行考證、詮釋和校勘，徵引文獻廣博，尤其推崇中國宋代唐慎微的《經史證類備急本草》，糾正了《本草綱目》中存在的部分錯誤。

除前文所述今大路玄淵所傳《醫方軌範》外，本叢書還收録日本《管蠡備急方》《崇蘭館試驗方》與越南《家傳醫方》三部方書。其中，《管蠡備急方》博引中國明以前歷代諸家方書，經由日本醫學世家度會家族歷代驗證，精選并收録臨證各科效驗良方。全書按疾病分門，因病立門，門下首述醫論，次列方藥，醫者臨證可按病索方，簡明實用。《崇蘭館試驗方》所載之方，多爲日本名醫福井楓亭口授的家傳臨證試驗良方。該書以日語假名讀音爲序記載方劑，所録醫方來源廣泛，總以《傷寒論》《金匱要略》《備急千金要方》《外臺秘要》《太平聖惠方》《太平惠民和劑局方》爲主，兼采中國清以前歷代重要醫書，反映了楓亭既重視經方，又兼用時方的學術特點。此外，越南醫籍《家傳醫方》一書，主要輯録中國明代李梴《醫學入門》和龔廷賢《萬病回春》二書的相關内容，通過取捨化裁，歸納記述了數十種臨床常見病證的對應治方，便捷實用，富有特色。

醫家臨證除采用方藥療病之外，還常應用針灸療法。本叢書收録李氏朝鮮《穴處治法》與越南《針灸法總要》兩部針灸專著。《穴處治法》主要記述經穴、别穴、針灸治療、折量法、針灸擇日等五項内容，其中經穴内容主要引自中國明代李梴《醫學入門》，後四項内容則主要摘自李氏朝鮮時期太醫許任《針灸經驗方》。全書編排巧妙，内容豐富，簡明實用。《針灸法總要》彙聚中國明代徐鳳《針灸大全》、李梴《醫學入門》和龔廷賢《壽世保元》等著作中的針灸醫學精華，主要記載針灸禁忌、五輸穴、靈龜八法主治病證、十四經脉循行流注及其重點腧穴定位、經絡起止、明堂尺寸法、八脉交會穴、奇穴治法等。儘管兩部針灸專著分别出自不同國家醫者之手，但均引用了中國《醫學入門》一書，都收録了十四經穴、骨度分寸定位法、針灸禁忌等内容，皆側重應用特定穴、奇穴，可謂異曲同工，殊途同歸。

周邊國家在學習中國醫學的過程中，漸漸形成了本土化特徵，或衍生出本國的醫學特色。如《家傳活嬰秘書》是一部獨具越南本土特色、自成體系的兒科專著。該書係越南「四民醫館」的家傳經驗秘笈。書中首先論述兒科諸病的見症分型與辨證方法；其次設「置藥治病列湯於下」，載述各種疾病對應的藥方及變方；再次是「治嬰各症方藥」，記載小兒常用治方；从次爲「論外湯症」，詳論以他藥煎湯送服丸、散劑的方法；最後列出兒科常用藥物的漢喃對照。如此環環相扣，自成一體，精審巧妙。其中，「論外湯症」一章，多以一味或數味藥煎湯送服丸、散劑，煎湯之藥隨症狀不同而變化，故隨煎湯之藥的變化，有效地擴充了單種丸、散劑的應用範圍。又如李氏朝鮮《雜病提綱》一書，依次記載雜病提綱、疾病分類、疾病治方，書中内容雖大多源於《醫學入門》《東醫寶鑑》，但經過作者巧妙編排，全書層次分明，内容系統，具有較高的臨床參考價值。再如，部分方書中開始出現一些未見載於中國醫籍的方劑，福井楓亭《崇蘭館試驗方》中收録的若干日本「和方」和福井「家傳方」等，即爲日本醫家自創之方。

前來中國拜師學醫，閱讀中國醫著，師承通曉中國醫學的本國醫家，閱讀本國名醫整理彙編中國醫學的相關著作，是海外醫者學習中國醫藥學的四種主要途徑。然而，前兩種途徑實施起來相對困難，故日本、朝鮮、越南三國名醫大多旁徵博引，取捨化裁中國醫籍以教化後學。以日本江户時代考證派名家多紀元簡遺作《櫟蔭先生遺説》爲例。該書係由元簡之子多紀元堅輯録而成，各篇之間獨立成文，主要論及痙病、麻疹、痔疾、脚氣、小兒吐乳、青腿牙疳，以及藥論、書論、醫論、醫事考證，同時收録元簡治療經驗、見聞心得。全書内容豐富，涉及醫學的方方面面，較好地體現了元簡精於考證、引録廣博、醫術精湛、治驗頗豐的學術特點。書中標注的參考引用著作近九十種，其中援引中國秦漢至清代歷代醫籍五十餘種，中國歷代非醫學文獻近三十種，旁及日本本土醫書五種、朝鮮醫籍二種。書中所引醫學文獻涵括醫經、傷寒、金匱、方書、本草、診法、兒科、外科、針灸、醫論、醫話等衆多類别。此外，該書引文中還提及二十餘位人物，其中絶大多數爲醫家。海外醫家將中國醫學重新化裁編排撰著成書後，部分著作還回流中國，引起中國醫家的重視。如中國清代曾多次刊刻發行，一九四九年以後又多次校注出版，在國内流傳較廣的《勉學堂針灸集成》一書，主要摘録了朝鮮太醫許任《針灸經驗方》全文與朝鮮名醫許浚《東醫寶鑑》的針灸相關内容。該書與本次收載的《穴處治法》一書關係密切，其間的淵源值得進一步考證。

但海外醫者對中國醫學的學習，更加强調其臨床實用性，往往首先汲取適於臨床運用的方法而捨弃醫理闡發的内容。日、韓、越均有一批對中國醫學研究得非常透徹的名醫大家，他們爲方便本國醫者學習和運用中國醫學，汲取中國醫學中最爲精華的部分，將中國醫學化繁爲簡，由博返約，促使其簡約化、本土化。如曲直瀨道三一派借鑒佛經中的經疏形式，巧妙運用綫段、圖表來提煉、歸納中醫藥的關鍵要素，或梳理錯綜複雜的醫理邏輯，用簡潔直觀的方式表達深奥的中國醫藥知識，極大地方便了日本民衆學習應用中國醫學。周邊國家還根據本國國情有選擇地學習吸收中國醫書的内容。如越南地處東南亞中南半島東部，大部分地區爲熱帶季風氣候，濕熱邪盛，國民患病以陽證爲主，故越南方書《家傳醫方》所載病證多爲陽證，陰證較爲少見。

本叢書收録的二十種海外醫籍，雖然有十五種爲鈔本，但其文獻研究價值與臨床實用價值不可小覷。從醫書分類角度而言，本叢書囊括醫經、醫論、本草、醫方、針灸、兒科、臨證綜合及醫學全書。從醫學流派與作者而言，涵蓋日本江户時代後世方派、古方派、考證派和折衷派幾大主流醫學流派，作者則涵括日本、越南兩國衆多名醫大家。書中所收本草著作，既有對張仲景古方用藥的闡釋發微，又有對李時珍《本草綱目》的考證。收録方書，多爲家族世代相傳的效驗良方。傳統醫藥學的理、法、方、藥在本叢書中均有很好的體現。但海外醫籍更加注重著作内容的實用性、簡約化，且具有不同國家的本土特色。

中、日、韓、越四國地理相近、交流頻繁，長期持續不斷的醫學交流，使得彼此的醫學思想、理論、學術和醫療技藝相互交叉貫通，血肉相連，共同爲人類的醫療衛生保健事業做出了巨大貢獻。本次所精選的二十種海外漢文傳統醫籍，獨具特色且國內罕見，能够在一定程度上呈现出中國醫學在海外傳承發展的不同側面，展現出日、韓、越傳統醫學各自的特色，較好地體現了中、日、越、韓之間的醫學發展、傳承流變、共性特色和交流互動。且本次所選之書內容豐富，涵蓋面較廣，具有較高的學術研究價值、文獻參考價值與臨床實用價值，將有助於研究中國醫學對周邊國家傳統醫學的深遠影響，能爲國內廣大中醫藥工作者拓寬思路、開闊視野創造良好的條件。

總之，本研究團隊以「一帶一路」沿綫國家的傳統醫學文獻爲切入點，繼續挖掘具有代表性的海外傳統醫學古籍，再次遴選，影印出版《海外漢文古醫籍精選叢書·第二輯》。希望本叢書能夠吸引更多國內學者關注中外醫學交流的源流與本質，以促進中醫藥的全面發展。本研究團隊也希望不負恩師之望，繼續努力將更多的海外醫籍精品介紹給國內的中醫藥工作者。

蕭永芝　韓素傑

# 目録

海外漢文古醫籍精選叢書·第二輯

# 本草綱目鈞衡

（日）向井元秀　撰

# 内容提要

《本草綱目釣衡》簡稱《本草釣衡》，是日本江户時代（一六〇三—一八六七）的本草學著作，由向井元秀撰著，具體成書年代不詳。此書從文獻學角度對李時珍《本草綱目》中的二百四十七種藥物進行了詳盡的考證、詮釋和校勘。全書廣徵博引，内容豐富，言之有據，詳略得當，具有獨特的文獻研究價值，爲後人研究《本草綱目》及其對日本江户時代本草學發展産生的影響提供了一個全新的視角。

## 一 作者與成書

《本草綱目釣衡》全書分爲四卷，每卷卷首皆題署「江都　向英俊　元秀著」，書首序中也多次提及「元秀」之名，據此可知，向英俊元秀即是本書的著者。

向英俊，日本《國書總目録》作「向井（日向）元秀」❶。蓋其人姓向井或日向，名英俊，字元秀，爲江都（江户的雅稱，即今日本東京）人，生平不詳。元秀之友望月三英（一六九七—一七六九）爲江户

❶（日）國書研究室．國書總目録［M］．東京：岩波書店，一九七七：（第七卷）三八六．

時代中期的幕府御醫，故推測元秀亦當大致活躍於此期。向井元秀存世醫著有《素問玄義》八卷、《本草綱目鈞衡》四卷、《本草綱目校異》二十卷。

《本草綱目鈞衡》書首有「本草鈞衡序」一篇，係向井元秀友人望三英（即望月三英）所作。正如該序中所言：「余與元秀俱溝究古本草，每嘆舊學已廢而新説盛行。夫吾伎之術皆難矣，而亦其所爲愈難者本草乎……各家編繹，詮次多端，是以諸家解説互有異同也。故今之人學此者，不以約則無知其要，欲知其要，不徵之於古，何以得其然乎？」江户時代中期本草學術的傳承，舊學漸廢，諸家新説盛行，學習本草愈加困難。當時，正值中國明代李時珍《本草綱目》傳入日本之際，且此書影響日益深遠。但元秀有感於《本草綱目》「崖略舊注，遺逸頗多，裒集鄴（剿）説，蹐跂不倫，朱墨混亂，序例雜錯，更令古本草之言流蕩無窮矣」，故在「治療之暇，繇治古本草而旁及《綱目》，乃爲之補苴脱漏，糾繩訛謬，删繁輯紊，使悉復其舊也。遂乃成書，名曰《鈞衡》」。「鈞衡」，有公正平衡之意，表明作者希望通過對《本草綱目》公正客觀的考證研究，達到發本草之義、正本草之源、治本草之學的目的。

## 二　主要内容

《本草綱目鈞衡》分乾、坤兩部分，共四卷四册，每卷一册。全書參照《本草綱目》的内容，分爲水部、土部、金石部、草部、穀部、菜部、果部、木部、服器部、蟲部、鱗部、介部、禽部、獸部等十四類，收載藥物二百四十七種，對每一種藥物進行了詳細的考證。

卷之一，包含水部、土部、金石部及草部的一部分藥物。

水部（三種）：明水、古塚中水、諸水有毒。

土部（八種）：赤土、太陽土、土蜂窠、胡燕窠土、蚯蚓泥、尿坑泥、冬灰、石鹼。

金石部❶（二十五種）：銀、朱砂銀、錫、諸銅器、鐵落、玉、白玉髓、水銀、無名異、石鐘乳、孔公孽、石腦、石腦油、空青、石膽、白羊石、越砥、麥飯石、水中白石、戎鹽、鹵鹹、消石、蓬砂、黄礬、石脾。

草部（三十四種）：甘草、黄耆、人參、沙參、薺苨、桔梗、黄精、朮、遠志、淫羊藿、地榆、白頭翁、黄連、黄芩、升麻、白鮮、芒、徐長卿、當歸、芍藥、山柰、豆蔻、益智子、鬱金、荆三棱、莎草香附子、藿香、澤蘭、石香葇、爵床、蘇、水蘇、薺薴、菴蕳。

卷之二，載録草部的一部分、穀部和菜部藥物。

草部（四十四種）：艾、大薊小薊、續斷、漏蘆、葈耳、甘蕉、石龍芻、麥門冬、葵、龍葵、酸漿、地膚、金盞草、水英、葒草、蛇繭草、蒺藜、商陸、常山蜀漆、天雄、烏頭、蒟蒻、半夏、蚤休、莽草、石龍芮、毛茛、鈎吻、馬兜鈴、紫葳、萆薢、女萎、茜草、通草、通脱木、木蓮、酸模、菖蒲、水萍、蘋、井中苔及萍藍、垣衣、烏韭、雜草。

穀部（十一種）：小麥、雀麥、稻、稷、緑豆、豌豆、蠶豆、大豆豉、陳廩米、麴、葡萄酒。

菜部（十八種）：韭、葱、茖葱、山蒜、菘、白芥、生薑、水蘄、堇、鷄腸草、馬齒莧、苦菜、芋、土芋、壺盧、絲瓜、紫菜、芝。

卷之三，收載果部和木部藥物。

---

❶ 金石部：此標題原缺，據前後文例補。

果部(二十五種)：李、梅、栗、棗、鹿梨、榅(榅桲)、柰、柿、金橘、楊梅、櫻桃、木威子、没離梨、大腹子、桄榔子、枳椇、崖椒、蔓椒、吴茱萸、食茱萸、茗、甜瓜、蓮藕、芡實、烏芋。

木部(二十四種)：桂及牡桂、辛夷、釣樟、櫰香、麒麟竭、椿樗、漆、海桐、槐、合歡、蕪荑、枳、枸橘、山茱萸、胡頽子、郁李、枸骨、枸杞、紫荆、木槿、伏牛花、木天蓼、楓柳、柵木皮。

卷之四，載述服器部、蟲部、鱗部、介部、禽部和獸部藥物。

服器部(三種)：帛、靈床下鞋、尿桶。

蟲部(十一種)：螳螂桑螵蛸、雀瓮、蠶、斑蝥、蟻、蚱蟬、行夜、蛗螽、蟾蜍、蝸牛、風驢肚内蟲。

鱗部(十三種)：吊、鯉、白魚、鮹魚、鱖魚、鱠殘魚、鱧魚、鱔魚、鱣魚、鮠魚、烏賊魚、鮑魚、諸魚有毒。

介部(四種)：水龜、鴞龜、馬刀、海螺。

禽部(九種)：鶬鷄、鷺、鷗、鷄、鷩雉、白鷳、竹鷄、伏翼、桑鳸。

獸部(十五種)：豕、羊、牛、驢、酥、諸肉有毒、獅、象、犀、鹿、獐、貒、海獺、膃肭獸、隱鼠。

元秀對每一味藥物，首先列出其名稱，在藥名下標明出處，其出處的内容同於《本草綱目》；然後對藥物逐一進行考證、詮釋和校勘，考證的内容涉及《本草綱目》中的「釋名」「集解」「正誤」「修治」「氣味」「主治」「發明」「附方」等諸多方面。元秀在考證《本草綱目》的内容時，多先引用《經史證類備急本草》(以下簡稱《證類本草》)或《本草綱目》關於該藥的記載；在闡發個人觀點時，多以「按」「俊按」「俊」「又按」「今按」「今校」「俊考」等引出論述。其考據方式主要是根據不同歷史時期文獻典籍的記載進行校正，尤以宋・唐慎微所撰《證類本草》爲主要依據，以《證類本草》引用的衆多文獻資料爲輔，兼顧非醫學類文獻著作，綜合考證、詮釋和校勘藥物的名稱、别名、功效、主治等，指出《本草綱目》存在的諸多問題，訂正其舛誤，補充其缺失，并儘可能翔實地考據論述，對無法解决的問題則存疑待考。

縱覽全書，《本草綱目鈎衡》是一部運用傳統文獻研究方法對《本草綱目》進行詳盡考證、詮釋和校勘的思路嚴謹、邏輯清晰的本草學著作。

## 三　特色與價值

《本草綱目鈎衡》徵引文獻廣博，内容豐富，時間跨度大，主要涉及醫藥學著作，尤以本草學著作爲主。所引文獻書目如下。

本草類：《神農本草經》，魏・吴普《吴普本草》，梁・陶弘景《名醫别録》，唐・甄權《藥性論》、蘇敬等《新修本草》、孟詵《食療本草》、陳藏器《本草拾遺》、昝殷《食醫心鏡》、楊天惠《附子記》，五代《日華子諸家本草》、韓保昇等《蜀本草》、李珣《海藥本草》，宋・劉翰等《開寶新詳定本草》、掌禹錫等《嘉祐補注神農本草》、蘇頌等《本草圖經》、唐慎微《證類本草》、寇宗奭《本草衍義》，金・張元素《珍珠囊》，元・王好古《湯液本草》、吴瑞《日用本草》、忽思慧《飲膳正要》、朱丹溪《本草衍義補遺》、李東垣《食物本草》，明・朱橚《救荒本草》、陳嘉謨《本草蒙筌》、寧源《食鑑本草》、李時珍《本草綱目》、繆希雍《神農本草經疏》、汪穎《食物本草》。其中，唐慎微《證類本草》之前的本草類著作多已經亡佚，當是元秀據《證類本草》轉引。

傷寒金匱類：漢・張仲景《傷寒論》《金匱要略》，金・成無己《注解傷寒論》。

方書類：晋・葛洪《肘後備急方》，唐・孫思邈《備急千金要方》《千金翼方》、王燾《外臺秘要》、崔元亮《海上方》，宋・王懷隱等《太平聖惠方》、楊士瀛《仁齋直指方論》。

臨證各科類：元・王好古《醫壘元戎》、葛乾孫《十藥神書》，明・盧和《丹溪纂要》、王綸《明醫雜著》、虞摶《醫學正傳》。

醫案醫話醫論類：元・朱丹溪《格致餘論》。

醫史類：宋・張杲《醫説》。

日本本土醫書：鐮倉時代梶原性全《萬安方》。

非醫學類文獻：春秋・左丘明《左傳》、墨子《五行記》、師曠《禽經》、范蠡《范子計然》，戰國時期《周禮》、屈原《楚辭》、莊周《莊子》，漢代《爾雅》、劉向《説苑》、司馬相如《上林賦》、高誘《淮南子注》，三國・張揖《廣雅》、陸璣《詩疏》，晋・張華《博物志》、郭璞《爾雅注》、葛洪《抱樸子》、俞益期《俞益期箋》、顧微《廣州記》，南北朝・劉義慶等《世説新語》、沈懷遠《南越志》、山謙之《吴興記》、蕭繹《金樓子》、蕭統《文選》、賈思勰《齊民要術》，唐・段成式《酉陽雜俎》、段公路《北户録》，宋・李昉等《太平御覽》、沈括《夢溪筆談》、陸佃《埤雅》、劉蒙《菊譜》、邢昺《爾雅疏》、洪芻《香譜》、鄭樵《通志》、羅願《爾雅翼》，明・吴雨《毛詩鳥獸草木考》。此外，還有漢唐間《異物志》、元明清时期《一統志》等。

元秀十分重視對古本草的研究，尤其推崇宋人唐慎微所著《證類本草》。其友望三英所作序中亦言「至宋唐慎微博考經史，重爲增續，是名《證類》，於是乎爲大成云」，感慨「今天下之醫知東壁而莫知有慎微者，猶知朱氏而無知温公者，何其淺陋也」。故元秀撰書考證《本草綱目》時，主要參考了《證類本草》，并根據《證類本草》引用的文獻資料，追根溯源，考據辨正。同時，元秀對《證類本草》内容亦非全盤照搬，而是結合參閲的文獻典籍闡述個人觀點。

《本草綱目鈎衡》指出李時珍《本草綱目》存在的問題主要有如下几點。

（一）省略相誤，令人難解

元秀認爲李時珍引用文獻有時未遵循原著内容，據己臆測而增删文字。元秀言「東璧好省略其辭，故其義愈覺不通」，「且從己意，省略相誤，令人難解」。如卷一水部「明水」條，元秀認爲「東璧未詳藏器之説而妄非之……補熟摩令熱四字而戾於藏器之意矣」，故考證藏器本意云「熟摩令熱者，非燧取水於月之法，而術家取太陽真火陽燧摩令熱……是令同氣相召也」。

又卷一金石部「水銀」條，《本草綱目》「集解」中所引蘇頌《圖經本草》取草汞法，其實并非《證類本草》「水銀」條下原文，係李時珍以己意將《證類本草》「馬齒莧」條下的文字增補於此。再如卷一草部「甘草」條，《本草綱目》作主治「腎氣内傷，令人陰不痿」，而《證類本草》卷六「甘草」條作「養腎氣内傷，令人陰痿」，兩書相差一個「不」字，則文義正好相反。卷二菜部「土芋」條，《證類本草》卷八「土芋」條作「蔓如豆」，而《本草綱目》作「蔓生，葉如豆」，等等。

探究《本草綱目》删補文字的緣由，多是李時珍對引用文獻相關醫藥理論及文字的理解偏差。如卷一「黄耆」條，《本草綱目》「發明」引寇宗奭「柳太后病風，不能言，脉沉而口噤」，而《證類本草》卷七「黄耆」條引寇宗奭《本草衍義》爲「王太后病風，不能言，脉沉難對，醫告術窮」。此處的「對」，即對脉之對，宫中以診脉爲對脉。太后脉沉而難對，則知脉微將絶。東壁謬而爲應對之對，改作口噤」。再如卷二菜部「馬齒莧」條，《本草綱目》載其治療「赤白帶下」，而實際應爲「赤白下」，此「下」當指「下痢」，而非婦人「帶下」，等等。

（二）闡述雜糅，有失偏頗

元秀認爲李時珍在引用前人論述時，或誤將不同之論合而爲一，或誤將同一論述一分爲二。如《本草綱目鈎衡》卷一草部「甘草」條，《本草綱目》「主治」引朱丹溪「生用能行足厥陰、陽明二經污濁之血，消腫導毒」，然《格致餘論·乳硬論》中本爲「疏厥陰之滯，以青皮；清陽明之熱，細研石膏；行污濁之血，以生甘草之節；消腫導毒，以瓜蔞子」❶。可知，李時珍誤將多種藥物功效歸於某一藥物之下，并非丹溪本意。依丹溪原意，生甘草節只具「行污濁之血」之功，并無「消腫導毒」之能。此外，元秀在《本草綱目鈎衡》卷一草部「鬱金」條下指出，《本草綱目》「取諸方下之論而附會於主治，雖有所據，然其方不單用，則非一物之功」，即在論述藥物主治時，李時珍用所引醫方的主治作爲該藥主治，此法有所不妥。

如卷一金石部「石鐘乳」條，《本草綱目》「主治」引《青霞子》「補髓，治消渴引飲」，而《證類本草》卷三「石鐘乳」條，并無「治消渴引飲」五字。實際上，唐慎微曾引《青霞子》「補髓添精」，又引《傷寒類要》「治舌痺，渴而數飲，用鐘乳石主之」。可知，《本草綱目》係將《青霞子》《傷寒類要》二書之論合於一處，并將「渴而數飲」改爲「消渴引飲」後得出的結論。

又如卷一土部「胡燕窠土」條，《本草綱目》爲「主風瘙癮疹，及惡刺瘡，浸淫瘑瘡遍身，至心者死」，

---

❶ （元）朱震亨著，魯兆麟等點校：格致餘論［M］.瀋陽：遼寧科學技術出版社，一九九七：九.

但《證類本草》卷四「胡燕窠内土」原文爲「胡燕窠内土，主風瘙癮疹。末，以水和傅之。又巢中草，主卒溺血。燒爲灰，飲服。又主惡刺瘡，及浸淫瘡繞身，至心者死，亦用之」。可知，《本草綱目》將「胡燕巢中草」的主治歸入「胡燕窠内土」，等等。

（三）不符原意，出處偏差

元秀認爲《本草綱目》在徵引文獻時，或斷章取義而失原書主旨，或張冠李戴而亂原始出處。如《本草綱目鈎衡》卷一土部「太陽土」條，儘管虞摶在《醫學正傳》卷之一「醫學或問」中確言「取太陽之土，與兒飲之，能釋土皇之厄而喘定，間亦有驗者」，但小兒發喘，多由風寒外束，腠理壅遏，或因吐瀉之後中氣不足，須辨證論治。《醫學正傳》又云：「其術士窺竊此意而巧立名色，而謂太陽之土能安土也。夫小兒之證不一，或慢驚直視而喘，或肺脹氣促而喘，縱取太陽土盈盎以沃之，亦莫能救其萬一。醫者自宜檢方按法調治，毋聽末流之俗，以致惑焉。」可見，虞摶本意是用此説批評流俗之弊，李時珍却以太陽土「主小兒病氣喘」引之，屬於斷章取義。

又如卷一金石部「銀」條，《本草綱目》引韓保昇《蜀本草》生銀「惡羊血」，但《證類本草》引《蜀本草》并無「羊血」二字，《證類本草》「序例」中引《日華子諸家本草》「生銀忌羊血」，《本草綱目》誤以此爲《蜀本草》内容。再如，卷一金石部「錫」條，《本草綱目》「主治」引《大明本草》「惡毒風瘡」，而實際出於《本草拾遺》。卷一土部「麥飯石」條，《本草綱目》「集解」引李迅《癰疽方論》之言，并非出自李迅之書，實爲李時珍自己的觀點。卷一草部「黄連」條，《本草綱目》以《范子計然》之説爲李當之之言，等等。

元秀認爲《本草綱目》某些地方引用文獻不準確的原因之一，是李時珍未考證并重新校對間接引用文獻的原始出處，或其參考文獻的版本本身就有錯誤，故致李時珍引用也不準確。如卷二草部「通脱木」條，王好古《湯液本草》引「通草」主療爲「木通」主療，李時珍依從王好古所引，將「通草」主療附於「通脱木」處，且指其爲汪機之説，而此論實出於《日華子諸家本草》。由於未對間接引用的文獻加以考證，不僅引用文獻内容有誤，且來源也出現錯誤。但是，後學之人也應充分認識到，李時珍憑一己之力，歷時二十七載完成巨著《本草綱目》的編著，稿雖三易，但尚未及詳盡校對而辭世，故出現某些舛誤在所難免。正如元秀在《本草綱目鈎衡》卷四鱗部「鱘魚」條下所言：「按《綱目》凡例有『集解』，統出産、形狀、采取，則不可别有出産之目，而此條特有出産，蓋初稿所存而後芟除者已。東壁作《綱目》，稿凡三易而有如此者，則知《綱目》爲未校讎之書，今附而辨之。」

（四）考證失詳，前後有差

元秀認爲李時珍對部分藥物基原考證不詳，且《本草綱目》書中不無自相矛盾之處。元秀云：「本草同名異物殊多矣，東壁以爲誤者，不考之失也。」如《本草綱目鈎衡》卷一土部「土蜂窠」條，《本草綱目》云「土蜂窠，釋名蠮螉窠，時珍曰即細腰蜂也」，然元秀認爲，「蘇恭曰：土蜂，土中爲窠，大如烏蜂，不傷人。非蠮螉，蠮螉黑色而腰細，雖一名土蜂而不在土中也」。由於考證不詳、分辨不清，李時珍將「土蜂窠」「蠮螉窠」視爲一物，因此在論述「土蜂窠」主治時，將《證類本草》「蠮螉」的内容誤移入「土蜂窠」條下。

又如卷一土部「赤土」條，《本草綱目》附方中載《普濟方》治牙宣疳䘌用赤土、荆芥，但此附方在《本草綱目》「代赭」條下重出，乃因不詳「赤土」與「代赭」之差别。卷一金石部「朱砂銀」條，元秀引《海藥本草》《本草衍義》等文獻記載，批評《本草綱目》誤「朱砂銀」爲「方士用諸藥合朱砂煉製而成者」。卷一土部「冬灰」條，《本草綱目》誤將「桑薪灰」主治出於「冬灰」條下。卷一草部「白頭翁」條，《本草綱目》不考「胡王使者」爲「獨活」，而非「白頭翁」，以獨活「主百節痛，豚實爲之使」，附於「白頭翁」氣味下。卷一金石部「錫」條，《本草綱目》采《證類本草》「錫銅鏡鼻」條下部分内容而新立「錫」條。卷一草部「徐長卿」條，元秀稱《本草綱目》序例以「石下長卿」爲下品，但正文中又將其列爲上品，相互矛盾，等等。

此外，《本草綱目鈎衡》還補充了《本草綱目》的某些缺失遺漏。如卷一金石部「諸銅器」條，《本草綱目》目録載「銅盆」「銅瓶」，但在正文闕如，元秀據《證類本草》補出「銅盆」的内容。卷二「大薊小薊」條，《本草綱目》引「鷄項草」，却不載其説，元秀亦補之備考，等等。

元秀根據《本草綱目》引用的文獻或參考的醫家觀點，查閲相關文獻資料，追溯李時珍所撰内容的依據，從多個角度、據多種版本來考證《本草綱目》的相關内容，務使考有所據，文有出處。如卷一土部「赤土」條，言「宗奭曰：赤土，今公府用以飾椽柱者，水調細末服，以治風疹。東壁以赤土爲一條，全據此説」。卷一草部「甘草」條，「主治亦非原文，東壁所補本於《格致餘論》」。又如考證《本草綱目》「馬齒莧」主治，除了參考中國版本《證類本草》外，還參考朝鮮本《證類本草》，言朝鮮本《證類本草》作「諸腫瘻疣目，尻脚陰腫」，而蜀本《證類本草》因傳寫錯誤而作「諸腫瘻瘫自，尸脚陰腫」。

在《本草綱目鈎衡》的部分藥物條目之後，元秀還附録整段參考文獻的原文，以供後學參考。例如，卷一玉石部「玉」條後，附陳藏器《本草拾遺》的相關内容；卷一玉石部「石膽」條後，附《神農本草經》之文；卷一草部「朮」條後，附《藥性論》及《日華子諸家本草》之論；卷二草部「艾」條後，附《本草蒙筌》之言；卷二谷部「陳廩米」條後，附《萬安方》所述。諸如此類，都是爲了方便讀者對照查考李時珍所引原文的内容。

對書中有些内容，元秀并未展開論述，而僅言「詳見於《校異》」「《校異》可參看」。所謂《校異》，即元秀的另一部著作《本草綱目校異》。由此可見，《本草綱目鈎衡》和《本草綱目校異》二書爲相輔相承的姊妹篇，且《本草綱目校異》有二十卷規模，考證當更爲詳盡，故在《本草綱目校異》書中已有詳細論述的内容，在《本草綱目鈎衡》中則略而不述。不過，《本草綱目鈎衡》卷三果部「蓮藕」、卷四禽部「鷗」下另有「其説見於考例」「其辨見於考例」，不知元秀是否撰有《本草綱目考例》一書，存疑待考。

若不知《本草綱目》依據文獻爲何書，元秀則直言「未知其所據」；遇無法考證或確定之處，元秀便用「恐」「疑」「疑似缺其考，俟校正」「未辨其是非，附而俟校正」等字眼，反映出元秀治學之嚴謹，態度之審慎。

在考證參考文獻方面，元秀推崇古本草記載的文獻，尤以《證類本草》爲重。對金元時期醫家的藥性理論頗有微詞。正如《本草綱目鈎衡》序中所言：「至金元之間，張潔古獨説藥性以無妄，其説出於妖僧，何足列諸家乎？後言本草者，據此群蟻附膻，不亦誤乎？」但作者并非一味全盤接受古本草之意，在考證過程中若發現其文獻存在疑問，也會提出自己的觀點。如卷一草部「爵床」條，作者認爲《證類本草》以「爵麻」爲「爵床」，係傳寫之誤；卷二穀部「稻」條指出，《證類本草》引「糯米」附會於「稻」下；卷二菜部「菘」條，認爲掌禹錫、蘇頌對其形態的描述有誤，失於未考，等等。

不過，元秀的考證也有疏漏之處。如卷一草部「黄芩」條，「凡諸瘡痛不可忍者，宜芩連苦寒之藥，詳上下，分根梢及引經之藥用之」，元秀認爲此説并非出自張元素，而是李東垣之論。但實際上張元素《醫學啓源》卷上「主治心法」中確有「瘡痛不可忍者，用苦寒藥，如黄芩、黄連，詳上下，分根梢及引經藥則可」❶。可見，《本草綱目》所引并無錯誤，只是引用并非原文而已。元秀本人或許未及參閲《醫學啓源》，僅從元人王好古《湯液本草》的「東垣先生用藥心法」查得該文，而以爲此説最早源自李東垣之論。從學術傳承角度而言，李東垣師從張元素，故其用藥理論相同也不足爲奇。此外，《本草綱目鈎衡》的考證多只是從文獻到文獻進行考證，而本草學術中對藥物基原的考證，單純依靠文獻是不足以得出全面準確的結論的，况其引據的文獻也存在引用不完整的情况。

由於筆者所見《本草綱目鈎衡》係鈔本，故存在部分傳抄錯誤及遺漏之處。某些藥物没有標明出處，如戎鹽、黄連、鹿梨、槐等；有的文字出現筆寫訛誤，如將「烏賊魚」誤爲「烏賦魚」，以「毋聽」爲「母聽」，誤「反胃」爲「及胃」，錯「羊血」爲「年血」，以「千金方」爲「下金方」，等等。

綜合全書内容，《本草綱目鈎衡》總體上考證嚴謹，内容豐富，徵引廣博，對傳入日本的李時珍《本草綱目》進行了細緻的考證、詮釋和校勘。元秀運用傳統文獻考據的方法，重視古本草文獻的内容，師古而不泥於古，其闡發多有新義。元秀十分尊重原始文獻，言文獻「雖不可信，亦不可誣也」，展示了日本漢方醫學文獻考據學者嚴謹的治學態度和專業的考證水準，故其書具有很高的文獻學價值，值得今人發掘整理。

---

❶ （金）張元素著，任應秋點校．醫學啓源[M]．北京：人民衛生出版社，一九七八：十三—十四．

## 四　版本情况

《本草綱目釣衡》現有幾種鈔本傳世，分别藏於日本國立國會圖書館、東京國立博物館、京都大學圖書館富士川文庫、西尾市立圖書館岩瀨文庫、杏雨書屋和村野文庫等處[1]。

本次影印采用的底本，爲日本國立國會圖書館所藏寬政九年丁巳（一七九七）鈔本。此本藏書號「特849—30」，分爲乾、坤兩部分，共四卷四册，每卷一册，前兩册爲乾部，後兩册爲坤部。四眼裝幀。封皮土黄色，左側淡黄色，未見書名。第一册扉葉題「本草釣衡　乾」，第三册扉葉題「本草釣衡　坤」。書首有江都望三英所撰「本草釣衡序」，未見目録。第一册正文首葉題「本草綱目釣衡卷之一／江都　向英俊　元秀著」。四周墨綫單邊，有界格欄綫。版心上方有單黑魚尾，未見書名及葉碼。每半葉十行，每行二十一字。書末無跋，卷末題識書「寬政九年丁巳閏七月，借添田氏之藏本謄寫卒功，乃讎校一過」。全書整體品相完好。

總之，《本草綱目釣衡》是一部徵引廣博，内容豐富，考據嚴謹的日本本草學專著。作者向井元秀無論在本草文獻考證，還是在臨床醫療實踐方面都有較高的造詣，其著作不僅反映了日本江户時代漢方醫藥學家從文獻考據角度研究《本草綱目》的思路與方法，更展現出日本本草學考證學者較高的專業水準和嚴謹的治學態度。因此，發掘、整理并研究向井元秀《本草綱目釣衡》及其相關的《本草綱

[1] （日）國書研究室.國書總目録[M].東京：岩波書店，一九七七：（第七卷）三八六.

目校異》等著作，對於深入考察《本草綱目》在日本的傳承影響，探究日本漢方醫藥學考證學派的成就與特色等，具有較高的史學和文獻學價值。同時，此書致力於糾正《本草綱目》中實際存在的某些錯誤，補充其不足，可爲深入研究《本草綱目》提供一個比較獨特的視角。

孫清偉　蕭永芝

本草鈞衡

乾

# 本草鈞衡序

余與元秀俱溝究古本草、每嘆舊學已廢、而新說盛行、夫吾伎之術皆難矣、而亦其所爲愈難者本草乎、炎皇嘗百草而本草興矣、桐君雷公嗣出、而始載簡編、弘景乃別錄於是乎本草成矣、所從來漸尚矣、而後經數千載而百家蜂起、凡自弘景而下、傳其學者、唐乃有李勣蘇恭甄權孟詵陳藏器韓保昇、宋乃有馬志掌禹錫蘇頌陳子承日華子、各家編繹詮次多端、是以諸家解說互有異同也、故今之人學此者、不以約則無知其要、欲知其要、不徵之於古、何以得其然乎、嗚乎治本草之難

自古而然、非持書爲難、義亦爲難矣、何者萬物化作、萌
匪有狀、其飛潛動植、品類萬殊、苦難分别、况五方物産、
風氣異宜、邦國郡縣、隨世變攺、山嶺水涯、生出非古、或
殊方絶域、唯繇蕃舶貿易、近道遠郊、自由野人採送、殊
不知古之醫者、親摘待用、今乃索諸市、而賈竪惟尚形
飾、巧僞百端、真濫冗雜、難爲辨識、宜哉有無眼有眼之
謗、本草之學所以爲難也、至宋唐慎微、博考經史、重爲
增續、是名證類、於是乎爲大成、云然經注依舊、朱黑分
明、療體功能、猶尚存古、無少間然、至金元之間、張潔古
獨説藥性以無妄、其説出于妖僧、何足列諸家乎、後言

本草者、據此群蟻附羶、不亦誤乎、至明李東壁、亦復因襲愼微、推轂潔古、重爲增補、極致弘多、改竄編次、擬朱氏通鑑、書名綱目、夫東壁雖博辨之士、以不知其要、終失之博、可惜哉、崖畧舊注、遺逸頗多、裒集鄭說、踳駁不倫、朱墨混亂、序例雜錯、更令古本草之言、流蕩無窮矣、今天下之醫、知東壁、而莫知有愼微者、猶知朱氏、而無知有温公者、何其淺陋也、元秀亦竊患之久矣、治療之暇、繇治古本草、而旁及綱目、迺爲之補苴脫漏、糾繩訛謬、刪繁揖萘、使悉復其舊也、遂乃成書、名曰鈞衡、余謂元秀曰、墳典殘闕、況乎伎家、善哉、惟我與爾有是哉、嗚乎、治本草之難、職此之由乎、莊周有言、柤李橘柚、其味相反、皆可於口、此可以發古本草之義乎、今也敬二三子皆知治古本草、而除去新説、元秀之功、不亦偉哉、因爲序云

江都　望三英

# 本草綱目鈞衡卷之一

江都　向英俊　元秀著

## 水部

### 明水 拾遺

按證類舊標方諸水藏器以方諸爲大蚌東壁辨其誤今不贅於此然藏器亦或以爲陰燧故有陽燧向日方諸向月皆能致水火也周禮明諸兼水於月謂之方諸陳饌明水以爲玄酒之文則可以見耳東壁未詳藏器之說而妄非之且以方諸大蚌也向月取之得三二合水亦如朝露改作方諸大蚌也熟摩令

熱向月𠀋之得水三二合亦如朝露者誤矣若此則以方諸爲大蚌而𠀋其水者以陰燧取水於月之法也東壁補熱摩令熱四字而庋於藏器之意矣且熱摩令熱者非陰燧取水於月之法而術家取大陽眞火陽燧摩拭令熱便置日中以艾承之是令同氣相召也取明水於月何爲令熱乎高誘淮南子注曰陽燧熱摩令熱陰燧亦摩拭令熱東壁補本於此又云方諸陰燧大蛤也以二物爲方諸而不辨大異其物恐非也東壁從高氏之說可謂坐於不考也

## 古塚中水 拾遺

證類舊標塜井中水主治無洗諸瘡皆瘥五字按弘景曰古塜中水洗諸瘡皆即瘥陶氏之言非謂塜井中水東壁合而爲一誤矣又陳氏之説非古塜中水今標以古塜中水亦誤也

諸水有毒遺拾

古井眢井不可入云云　古井不可塞云云　沙河中水云云　兩山夾水云云　流水有聲云云　花瓶水云云　冷水沐頭　熱泔沐頭云云　水經宿面上有五色云云　時病後浴冷水云云　盛暑浴冷水云云　汗後入冷水云云　産後洗浴云云

酒中飲冷水云云　酒後飲茶水云云　飲水便睡
云云　小兒就瓢及瓶飲水云云　夏月遠行勿以
冷水濯足　冬月遠行勿以熱湯濯足
右十九條東壁補之非證類原文俊按古人有朱黒
之別有以矣如此條新故錯乱涇渭不分遂令後世
讀者悉皆以為蔵器之言且若盛暑浴冷水成傷寒
汗後入冷水成骨痺産後洸浴成痓風多死等以為
有毒之所傷而補此條可謂誤矣不知濟命扶危之
術者不足以存生也况有所犯者必有所傷參耆亦
然以所犯之患為冷水有毒非君子論

# 土部

## 赤土 綱目

按代赭條弘景曰代赭是代郡城門下土魏国所献猶是彼間赤土亦唐本曰此石多從代州來非城門下土二家異其說東壁以代赭為陽石而别以赤土為一條雖然古方用赤土不可言非代赭也此條附方中載普濟方牙宜疳蛋用赤土荆芥代赭條復重出之則東壁亦不自分辨可見也宗奭曰赤土今公府用以飾椽柱者水調細末服以治風瘮東壁以赤土為一條全據此說

大陽土 綱目

人家動土犯禁主小兒病氣喘但按九宮看大陽在何宮取其土煎湯飲之喘即定出正傳 俊按醫學正傳曰或問小兒氣喘世俗列以爲犯土謂犯其皇土也或按家之九宮謂土皇居於何宮太陽落在何宮當取太陽之土與小兒飲之能釋土皇之厄而喘定間亦有驗者夫歷代醫何不載而遺此證爲黄冠之流醫治歟請明以告我曰小兒發喘多由風寒外束腠理壅遏而肺氣不得宣通而爲病耳治法當用瀉白散三拗湯等喘息定矣或伏龍肝湯泡温飲之其

喘立定者有之蓋脾土大虛借土氣以培益之其術士窺竊此意而巧立名而謂大陽之土能安土也夫小兒之證不一或慢驚直視而喘或肺脹氣促而喘縱取太陽土盈盎以沃之亦莫能救其萬一鑿者自宜撿方按法調治毋听末流之俗以致惑焉虞天民有此說欲解流俗之惑耳東壁引之大失虞氏之意矣

土蜂窠拾遺

釋名蠮螉窠時珍曰即細腰蜂也此說可削去俊按

蠮螉一名土蜂非此土蜂蘇恭曰土蜂土中爲窠大

如烏蜂不傷人非蠮螉蠮螉黑色而腰細雖一名土蜂而不在土中也此說足以證東壁之誤今綱目蟲部土蜂蠮螉分爲二條則不俟其辨而可知也又主治載別録聖惠方宗奭之說證類出於蠮螉條非土蜂窠主療當附於蠮螉條而入此條者孟浪之失也證類藏器曰土蜂在地土中作窠者是也東壁刊而不載誤矣

## 胡燕窠土 遺拾

按證類胡燕窠内土主風瘙癮疹末以水和傅之又巢中草主卒溺血燒爲灰飲服又主惡刺瘡及浸淫

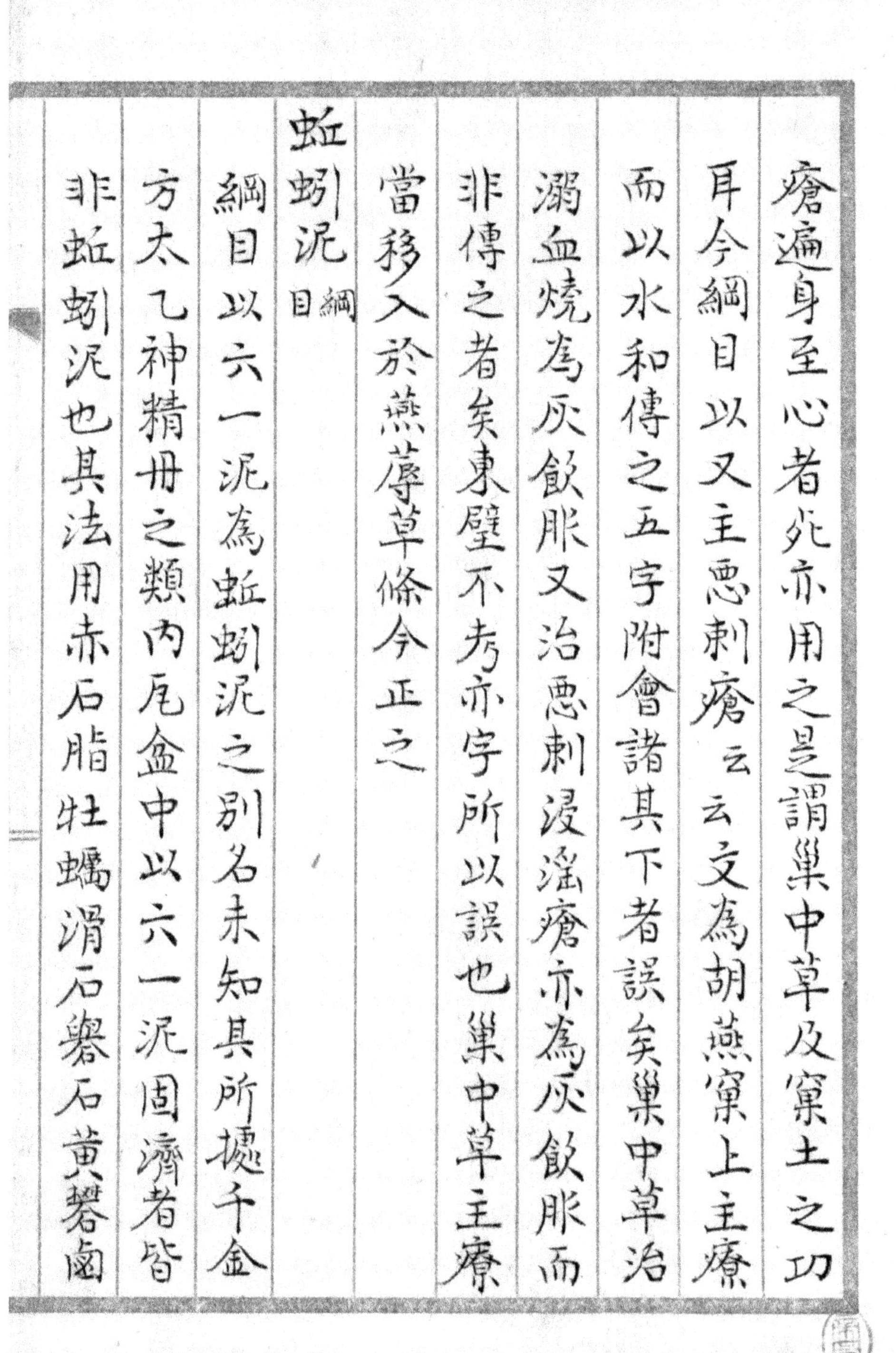
瘡遍身至心者死亦用之是謂巢中草及窠土之功耳今綱目以又主惡刺瘡云云文為胡燕窠上主療而以水和傅之五字附會諸其下者誤矣巢中草治溺血燒為灰飲服又治惡刺浸淫瘡亦為灰飲服而非傅之者矣東壁不考亦字所以誤也巢中草主療當移入於燕蓐草條今正之

蚯蚓泥 綱目

綱目以六一泥為蚯蚓泥之别名未知其所據千金方太乙神精丹之類内尾盒中以六一泥固濟者皆非蚯蚓泥也其法用赤石脂牡蠣滑石礬石黄礬鹵

土蚯蚓屎以醋和之如稠粥以此泥塗之六一之名
乃是古人隱秘之語六上加一便是爲七以七種藥
爲泥故云六一若以蚯蚓泥一物爲六一泥則其誤
莫大焉

屎坑泥綱目

按證類人部別錄云東向圊厠溺坑中青泥療喉痺
消癰腫若已有膿即潰東壁不載之而所說本於千
金方未曉其旨恐䏜誤青泥勿謬爲溺白塗別見於
人部中

冬灰本經

主治蘇恭煮豆食大下水腫按證類桑灰主療而非冬灰見於桑條桑柴灰主治東壁謬而重出於此當削去

## 石鹼 補遺

衍義補遺鹵鹹或作鹻一名石鹻東壁刋去鹵鹹之名而附灰鹹花鹹二名未識其所據 俊按石鹵鹹與補遺鹵鹹主療相近也又此條附方多年及胃重出於鉛條就此考之引聖濟方用紫背鉛石亭脂鹵鹽汁然則以鹵鹽汁為石鹼汁復出於此條附方者明着也集解有作石鹼法與附方所用鹵鹽汁大異矣

疑作花鹼灰鹼法而與石鹼爲別物可見也嘉謨曰

鹵鹹能軟積堅主大熱消渴狂煩除多年癥瘕凝痛

去濕熱消痰癖下蠱毒柔肌膚洗滌垢膩有功與補

遺主療全相同東壁别爲一條者誤矣當入於石部

鹵鹹條且以石鹹復爲石部鹵鹹之一名其所以自

相矛盾綱目鹵莽若是多矣

銀 別錄

生銀氣味下保昇曰悪年血馬目毒公證類無羊血

二字按證類序例日華子曰忌羊血東壁本於此而

以羊血二字混入於保昇之説忌悪差誤矣又證類

銀屑條日華子曰忌生血東壁亦載之校朝鮮本證類羊血作生血生羊字相似傳寫誤矣若是則生血羊血非二物而所載爲重復羊血二字可削去

**硃砂銀**日華

按海藥本草曰燒朱粉甕下多年沈積有銀號盃鉛銀光軟甚好與波斯銀功力相似秪是難得是則硃砂銀也波斯銀無毒功力亦相似則此物無毒可知也非煉制銀有毒之類東壁曰此乃方士用諸藥合硃砂鍊制而成者此說大誤矣宗奭曰世有術士能以硃砂而成者有鉛汞而成者有焦銅而成者何腹

更造化之氣豈可更入藥既有此類不可不區別東壁所謂朱砂銀乃冦氏之所非也日華子硃砂銀無毒合海藥與波斯銀功力相似之言則是以破東壁謬說也

## 錫 拾遺

證類無錫條惟於錫銅鼻條有錫之說亦非專為錫者故諸家無錫之主療東壁自錫銅鏡鼻條採摭二三家之說而新立此條 俊按本經錫銅鏡鼻舊無銅字別錄增加銅字就此考之本經所說以錫與鏡鼻相對待而論生桂陽山谷之文可證也圖経曰鏡雖

銅而皆用錫雜之乃能明白故鏡鼻附於錫是以代代修本草者無别出錫條宜哉東壁新立此條可謂誤矣

主治大明悪毒風瘡出於拾遺非大明之言按證類藏器曰錫有白有黒黒錫寒小毒主癭瘤鬼氣疰忤錯爲末和青木香傳風瘡腫悪毒東壁以此說既附於鉛條而又有爲錫之疑則遂稍異其文重出於此條以爲錫主療文若此則黒錫爲鉛又爲錫其不唯自欺又可謂欺人矣不可不辨也

諸銅器綱目

綱目目録有銅盆銅瓶二物而欽之銅瓶未詳銅盆
藏器曰熨霍乱可盛灰厚二寸許以炭火安其上令
微熱下以衣藉患者腹漸漸熨之腹中通熱差今從
證類補之

鐵落本経

主治大明藏器蘇恭三氏之説倶出於證類鐵精條
東壁移而入於此俊按藏器曰鍛鑽下鐵屑味辛平
無毒主鬼打鬼疰邪氣水漬攪令袜出澄清去滓及
暖飲一二盞此屑唐本注所謂鍛家燒鉄赤沸砧上
鍛之皮甲落者即鉄落非鉄屑東壁附出於此條者

漆咬恐倒

是而以大明蘇恭鉄屑主療附會於此條者非也宜附於鉄條猶金銀銅屑各附其本條也鐵落一名鉄液別有大明鐵液主療則誤不辨而可知矣今載於此

日華子曰鐵液治心驚邪一切毒蛇虫及蠶漆咬瘡腸風痔瘻脫肛痔疾熱狂并染鬚髮

玉 別錄

按玉漿條治東壁載藏器之說即拾遺作玉膏之法也此物與玉漿無異則附於此條者可也以玉石間水為玉膏而附下白玉髓條曰併入拾遺玉膏可謂

誤矣證類原文載而備考

拾遺玉膏味甘平無毒玉石延年神仙術家取蟾蜍膏軟玉如泥以苦酒消之成水此則爲膏之法今玉石間水飲之長生令人體潤以玉投朱草汁中化成醴朱草瑞物十洲仙記瀛洲有玉膏泉如酒飲之數杯輒醉令人長生洲上多有仙家似呉兒雖仙境之事有可憑者故引以爲證也

白玉髓別録

校正併入拾遺玉膏此八字當在於玉條按集解引藏器之說即玉石間水而非玉膏證類舊附玉膏條

中故東壁誤而爲玉膏也是以水得玉石之津能令人體潤故拾遺引以爲玉證耳與玉井水可互考

## 水銀 本經

集解蘓頌文說出取草汞法東壁所補而非證類原文具補亦本於證類馬齒莧條圖經之說其文曰此有二種葉大者不堪用葉小者爲勝云具節葉間有水銀每乾之十斤中得水銀八兩至十兩者然至難燥當以槐木槌擣碎向日東作架暴之兩三日即乾如經年矣入藥則去莖節此說乾馬齒莧之法而非取草汞之法東壁附會於此條而間以己意增加燒

存性盛入尾甕内封口埋土坑中四十九日取出自
成矣二十三字以為取草汞之法無稽謬言欺後世
又馬齒莧條韓保昇之說亦与圖經之文無異東壁
僞托古人之言誑世駭俗不足信也
衍義曰水銀入藥雖各有法極須審謹有毒故也婦
人多胒絶娠今人治小兒驚熱涎潮往々多用經中
無一字及此亦宜詳諦據此說則水銀不可容易用
而東壁以治小兒驚熱涎潮七字繫諸主治下以為
宗奭之說非唯可謂誤而已誣亦甚矣哉本草一字
不可忽因是誤人者不小小可不謹哉

無名異開寶

按證類圖經曰本經曰味甘辛主金瘡折傷内損生肌肉今云味鹹寒消腫毒癰疣與本經所說不同疑別是一種人嶺南人云有石無名異絕難得有草無名異彼人不甚貴重豈本經說者爲石而今所有者爲草辛用時以醋磨塗傳所苦處此說不可不載恐脫誤也此物有草石之別而氣味有甘辛鹹寒之異則主療亦然也今載全文以備考

石鐘乳本經

主治青霞子治消渴引飲證類無此五字按傷寒類

要治舌瘅渴而數飲用乳石主之青霞子傷寒類要俱證類所引而東壁合之以渴而多飲改作消渴引飲恐非也消渴與舌瘅其症異矣舌瘅即九疸之一也舌今錄驗作舌瘅渴而數便今證類作數飲疑傳寫誤矣凡病名相差則誤用藥不可不辨也

孔公孽本經

按集解藕頌之說言鍾乳所在故有孔公孽殷孽石鍾乳同生之文東壁特傅會於此條誤矣當出於鍾乳條詳見於校異石鍾乳條

石腦別錄

集解蘇恭之說本屬於隋時有化公者所䏲亦名石腦之下東壁分而出於集解發明二條者誤矣按唐本註所說化公所䏲即握雪礜石一名化公石一名石腦與別録石腦同名異物而化公䏲之與李整採䏲事亦相類故以此說附於此如是類殊多矣非別録石腦註可知也韓保昇以為註石腦者是不考亦名石腦之亦字强而為誤也東壁謂其說本是石腦而又以註握雪礜石誤矣是雖破唐本註而無的據不足取矣

石腦油嘉祐

綱目併入拾遺石漆而不載蔵器之説今補脱漏拾遺曰石漆堪燃燭膏車缸如漆不可食此物水石之精因應有所主療撿諸方見有説博物志酒泉南山石出水其如肌肉汁取著器中如凝脂正黒與膏無異彼方人為之石漆今撿不見其方深所恨也

空青 本經

蔵器曰銅之精華大者即空緑次即空青此説出於證類銅青條作生熟銅皆有青即是銅之精華大者即空緑以次空青東壁附會於此條而以次改作次即以為空青之解者誤矣今正之

石膽 本經

按別錄文中東壁補秦州大石間或其為石也青色多白文易破狀似空青二十一字又以本經之梲混而成文（俊）每讀之有疑其所據而及得太平御覽正識綱目之不據證類者大半出於御覽而御覽所引本草經與此條別錄之說大異矣蓋本草之書代代有增損則知證類亦必有省文東壁從其所見妄引補而欲復其原文可謂不知而作之者也又證類別錄文據太平御覽考之亦以吳氏之說混而成文者殊多矣此類為別錄原文字將唐氏之所補乎後世

難分別矣二書雖成宋人之手御覧所引者證類以

前之本草也二家之説今載之備考

本草經曰石膽一名畢石一名君石出秦州羌道山

谷大石間或出句青山其為石也青色多白文易破

狀如空青能化鐵為銅合成金銀煉餌食之不老

吳氏本草經曰石膽一名黑石一名銅勒神農酸小

寒李氏大寒桐君辛有毒扁鵲苦無毒生羌道或句

青山二月庚子辛丑採

白羊石 經圖

氣味淡生涼熟熱無毒按證類白羊石味淡其性熱

用即大熱生用即凉黑羊石味淡性熱東壁不分別黑白合而爲說今正之

越砥 別錄

按越砥出證類別錄有名未用草木類中蜀本註云今據此在草木類中恐非細礪石也又嘉祐礪石條云又有越砥石切肰極同名又相近應是礪矣禹貢註云砥細於礪皆磨石也二說刋而不載者恐非也東壁據嘉祐之說以越砥入石部又此條併入嘉祐礪石而不記之者亦非也

麥飯石 圖經

按圖經曰麦飯石麄黄白類麦飯曽作磨磑者尤佳

又唐宋古方書等有麦飯石膏或煉石散或貼斂藥

其方藥修治與圖經所載全相同而麦飯石亦謂為

麄理黄石曽作磨者佳東壁引李迅之説以如鵞卵

大如拳如盞者為麦飯石曰此石不可作磨以古方

用作磨者為誤俊未見李迅癰疽方論雖然東壁所

引非李氏之言借名李迅而其説務於胸臆所以然

者陳自明外科精要引李氏云麥飯石膏治發背癰

疽神妙惜世罕知而載其方白麦飯石鹿角二物而

唯無白斂為異而已無鵞卵大拳大盞大之説東壁

以作磨者為誤者蓋擬馬嗣明治蔆背煉石散用麖理黄石如鵞鴨卵大燒亦投醋中自有石屑落醋裏頻燒至石盡取石屑和醋以塗腫上本草拾遺載之以為尋常石亦非麦飯石而主療并修治與麦飯石同東壁所說本此以為如鵞卵大則大反於古人之意曰無此石但以舊麪磨近齒處石代之取具有麦性亦與前說矛楯況麦飯之名亦豈取有麦性乎可哂甚矣哉

水中白石 經圖

主治燒淬水中納塩三合洗風瘙癮疹本所說非水

中白石之功證類作燒石令赤投水中內塩數合主風瘙癮瘮及洗之馬嗣明盬發背及諸悪腫皆愈此並是尋常石也且以燒石爲一條東壁併入此條誤矣

戎塩

集觧弘景說中東壁省令俗中不復見鹵鹹惟魏国所献虜塩即是河東大塩形如結氷圓强味鹹苦复月小潤液三十五字易以史書言三字按證類此條引諸說首以弘景次以李當之又次以弘景鹵鹹條之說具末有如此二說並未詳七字東壁不如是爲

編輯者之言誤爲弘景之言故具説不可解是以鹵鹹條之説刊而不載此條又以於弘景説中省者傳會於鹵鹹條强以合於二説未詳之文俊含味原文今俗中不復見鹵鹹之鹵鹹當作㢡塩鹵㢡音近鹹塩誤者多焉如此則具説如破竹矣若從舊文理不屬又有使讀者二説未詳之疑蓋以一時書寫之誤惑後世者如此東壁承誤啓疑亦似涉欺罔也

鹵鹹本經

證類無吳普之説綱目載之者恐皆出於大平御覽此條一名寒石亦出於御覽雖然非吳氏之説御覽

引本草經曰鹵鹹一名寒石證類脱誤東壁補之以爲吴普之言誤矣又鹵鹹一名鹵塩出於唐本草東壁以爲言吴氏之言亦可謂欺人也吴氏本草失傳久矣東壁所引不出御覧者不芝徵也

消石本經

證類雷公曰凡使先研如粉以鸗瓶子於五斤火中煅令通赤用鷄腸菜栢子仁和作一處分丸如小帝珠子許待瓶子赤時投消石於瓶子内其消石自然伏火每四兩消石用鷄腸菜栢子仁共十五箇帝珠子盡爲度與綱目所引異矣此説分丸如帝珠子許

者非藥石分九之謂也東壁誤解分九二字而增加連投藥九入瓶六字可謂誤矣且若東壁所解則藥九消石二物必當論下瓶中前後而無之則其爲誤可知也

蓬砂 華日

按綱目所載特蓬殺即拾遺石藥而非特蓬殺也今攄證類載於此

拾遺特蓬殺味辛苦溫小毒主飛金石用之煉丹亦須用生西国似石脂蠣粉之類能透金石鐵無礙下通出

黄礬綱目

按主治李珣之説即海藥金線礬而非黄礬主療也證類金線礬條引廣州志云生波斯國打破内有金線文者爲上多入燒家用東壁不言併入海藥金線礬者誤也

石脾別錄

東壁云石脾乃生成者陶氏所説是造成者也按此説甚誤矣陶氏引皇甫士安以石脾造成消石之法而非作石脾之法也東壁以弘景之説傳會於此條者可謂孟浪甚矣可削去

# 草部

## 甘草 本經

主治腎氣內傷令人陰不痿證類作養腎氣內傷令人陰痿 俊按腎氣內傷而外證令人陰痿也東壁補不字與舊說相戾仲淳以為甘草令人陰痿亦千慮一失乎句讀差誤遂反舊說讀者不可不詳察也

頭主治生用能行足厥陰陽明二經汚濁之血消腫導毒按頭當作節主治亦非原文東壁所補本於格致餘論具論曰乳硬多因乳母不知調養所致蓋乳房陽明所經乳頭厥陰所屬云云治法以青皮疏厥

陰之滯石膏瀆陽明之熱生甘草節行汚濁之血瓜蔞
子消腫導毒或加沒藥青橘葉皂角刺金銀花當歸
或湯或散須以少酒佐之東壁據此說以四味之功
合而為甘草節主治非震亨之本真也假令甘草節
行厥陰陽明二經汚濁之血丹溪用藥之意消腫導
毒者全取瓜蔞子之功也嗚呼後世學者不索其本
安識其本真邪東壁所補之主療不可信今辨之

黄耆本經

宗奭曰柳太后病風不能言脉沉而口噤證類作脉
沉難對醫告術窮按對即對脉之對宮中以診脉為

對脉大伏脉沉而難對則知沉微將絶東壁謬而爲

應對之對改作口噤可哂

## 人參本經

正誤載王倫之説曰人參入手太陰能補火故肺受火邪者忌之此文東壁所補也明醫雜著曰泄瀉病誤服參耆甘温之藥則病不能愈甘温能生濕熱故及助病邪王氏忌用人參不特肺火而已又勞瘵條云此病大忌服人參若曾服過多者亦難治又云葛可久十藥神書方可次第撿用方内唯獨參湯止可用於大吐血後昏倦脉微細氣虚者氣雖虚而復有

火可加天門冬據是則不可謂王氏勞瘵吐血不用人參也東壁所引何足盡王氏用藥之意矣

沙參 本經

元素曰肺寒者用人參肺熱者用沙參代之按此說出於海藏非易老之言沙參代人參始於易老曰取其味甘可也是言無人參即用沙參代之當擇其甘者也海藏所說蓋人參味甘溫沙參苦甘微寒而其功不同故有肺寒用人參肺熱用沙參之辨東壁以海藏之言傳會於易老欺罔涉於古今凡辞之詳畧宜有斟酌東壁好省畧其辞故其義愈覺不通非

特此而已

## 薺苨 別錄

釋名苗名隱忍證類桔梗條弘景曰桔梗近道處々有葉名隱忍二三月生可煮食之然則隱忍即桔梗苗而非薺苨苗東壁引肘後方曰隱忍草苗似桔梗今按肘後方曰治蟲毒隱忍草飲二三升此草桔梗苗人皆食之與東壁所引異矣言苗似桔梗則雖無薺苨之名亦非别物耳東壁引以爲證者歟罔涉於古今不可不辨也又引爾雅蒡隱忍按爾雅郭璞云似蘇有毛江東人藏以爲葅薺苨葉下光明滑澤無

毛其狀如弘景所説今以似𦼮有毛爲薺苨則反於
弘景之説耳又云薺苨苗甘可食桔梗苗苦不可食
尤爲可證此言似是而非也凡葅菜不盡甜豈以苦
爲不可食乎而言桔梗苗亦可呼爲隱忍是掩其所
誤然亦反於二物性味功用皆不同當以别録分其
物爲是之言不可不辨也
𦼮恭曰惟以根有心爲别爾按此説證類在於桔梗
條桔梗根有心其無心者薺苨故以根有心爲别也
東壁移入於此條遂令後世讀者誤以有心爲薺苨
今有心應作無否則有無相反讀者當察

桔梗本經

時珍曰甘桔湯通治咽喉口舌諸病宋仁宗加荊芥防風連翹遂名如聖油按醫壘元戎仁宗御名如聖湯治少陰咽痛炙甘草一兩桔梗三兩右㕮末水煎、加生薑煎亦可也即甘桔湯所以名為如聖者賞其効驗耳戴原禮加荊芥一錢半名如聖湯或更加連翹防風半分東壁以為仁宗之所加者誤矣

黄精別錄

校正併入拾遺救荒草綱目脫而不載今補之備考

救荒證類作救窮

拾遺救窮草食之可絶穀長生生地肺山大松樹下
如竹出新道書地肺高六千丈其下有之

朮 本經

一名楊枹枹字可削按爾雅曰楊句枹薊圖經曰楊
枹即白朮也脱薊字東壁遂其誤以楊枹為一名今
正之

按朮本經別録無蒼白之分甄權大明亦無蒼朮主
療陶弘景始分赤白二種而丸散用白朮作煮用赤
朮因是後世有止發不同之説遂主不可以此代彼
是以東壁分別四家各立其主療雖使用者有所依

據然意発胸臆文成手中非各家本眞本草一字不可忽焉故詳載原文以見古書之不可誣本經別錄原文主療在白朮條甄權大明附於此而備考校異可參看

藥性論曰白朮苦甘辛無毒能主大風瘰痺多年氣痢心腹脹痛破消宿食開胃去痰涎除寒熱止下泄主面光悅駐顏去鼾治水腫（脹）滿止嘔逆腹内冷痛吐瀉不止及胃氣虛冷痢

日華子云求治一切風疾五勞七傷冷氣腹脹腰臍消痰治水氣利小便止反胃嘔逆及筋骨弱軟痃癖

氣塊婦人冷瘕瘕温疾山嵐瘴氣除煩長肌又名吃

力伽蒼者去皮

遠志本經

東壁引世説謝安云處則爲遠志出則爲小草此言

出於排調非謝安郝隆答桓公之言具意以調謝公

詳見於世説今畧之謝安當作郝隆

淫羊藿本經

別録丈夫久服令人有子證類作令人無子按千金

翼及古方書所引悉皆作無子東壁從汪機之説作

有子者誤矣又朝鮮本證類作有子蓋此本全出於

會編之後亦因循而誤者不足徵耳仲淳曰大夫久

服令人無子者因陽旺則陽道數舉頻御女而精耗

散故無子可謂能解本草者矣

地榆本經

按直指方治惡瘡方白礬五倍子黄栢黄連黄丹海

螵蛸貝母等分爲末入麝香少許摻痛則加地榆癢

則加苦參東壁引楊士瀛云諸瘡痛者加地榆癢者

加黄芩而不載本方及省畧不詳使讀者以爲服用

之法今正之苦參作黄芩亦傳寫誤

白頭翁本經

證類藥性論曰白頭翁使味甘苦有小毒止腹痛及
赤毒痢治齒痛主項下瘤癧又云胡王使者味苦無
毒主百骨節痛豚實爲使東壁不載胡王使者氣味
而主療相使合於白頭翁俊按胡王使者即獨活而
非白頭翁證類編輯雖異物其名同則附於一條者
殊多焉此物俱有胡王使者之名故附於此非爲同
物之謂也獨活主百節痛豚實爲之使此其明證可
以决其疑矣東壁不辨之以百骨節痛合於白頭翁
主治又以豚實爲之使附於氣味下恐不考之失也
其誤承於嘉謨

黄連

時珍曰黄連漢末李當之本草惟取蜀郡黄肥而堅者爲善此説出於范子非當之之言藥録失傳久矣其説見於序例范子計然曰黄連出蜀郡黄肥堅者善東壁竊取此説而借名李當之歟後世此類殊多矣讀者當察

黄芩本經

元素曰凡諸瘡痛不可忍者宜芩連苦寒之藥詳上下分根梢及引經之藥用之此説非元素之言出於東垣用藥心法隨證治病藥品條曰諸瘡痛不可忍

者用苦寒藥如黄芩黄蘗詳上下用根梢及引經藥則可也是東垣用藥凡例而言黄芩黄蘗之類如字可見東壁改作芩連而附會於此條以為從瘡上下芩連分根梢用之者大反於東垣之意矣心法所説詳上下用根梢言當歸甘草之類豈芩連分根梢而用之乎東壁附於此者誤矣珍珠囊曰瘡痛甚者加用黄芩黄連黄蘗知母上焦有瘡須用黄芩中焦有瘡須用黄連下焦有瘡須用黄蘗知母防已元素上中下用藥之别與李杲所説亦異矣

外麻 別錄

東壁引吴氏本草云升麻一名周升麻今按吴氏本草無周升麻之名大平御覽引本草經曰升麻一名周升麻證類本草作周麻即脱升字證類脱簡文義不相接者東壁搜索御覽以補其闕若不有御覽何以知證類脱誤而今以爲吴氏則可謂欺後世矣

白鮮本經

按别録曰四月五月採根陰乾無用皮之説圖經曰宜二月採差晚則虚惡也本草蒙筌作二月採根取皮差晚則虚惡也圖經無取皮二字日華子曰根皮良花功用同藥性論作白鮮皮古方書或有無皮字

者今按本經別録用其根東壁補皮字恐誤矣取根皮用之者藥性論日華子之説而白鮮皮之號出於後世可知也

## 苙遺拾

按證類舊標石苙東壁改作苙誤矣苙與石苙同類而別種也藏器所論者非苙之氣味主療從證類當作石苙又藏器引爾雅之説舊在於敗苙箔條東壁以苙標題於此條故移而入於此條於重復可削去

## 徐長卿本經

按石下長卿證類在唐本退二十種之中本經六種

之一東壁爲出於別録有名未用誤矣又綱目序例載神農本經目録以石下長卿列下品與此條列上品自相矛楯

## 當歸本經

按湯液本草引珍珠囊曰頭止血身和血稍破血綱目引元素本於此而非就本書引之者今校珍珠囊作頭破血身行血尾止血與雷公所説頭尾功効相同矣東壁未校珍珠囊故不知湯液本草所引傳寫之誤曰張雷二氏所説頭尾功效各異可謂誤矣又湯液引易老曰用頭則破血用尾則止血若全用則

一破一止則和血也今此說適合於珍珠囊則傳写
誤者不俟辨而可知也若東壁所引則不唯張雷異
其說而已二義弁背不似一家之書亦失於不考

勺藥本經

發明成無已曰白補而赤瀉白收而赤散酸以收之
甘以緩之故甘酸相合用補陰血今按即是傷寒論
勺藥甘草湯方下之註也東壁附此條而不載其湯
名故甘以緩之甘酸相合者不可解又補通氣而除
肺燥六字本於用藥心法肺燥氣熱酸收甘緩之說
然亦言炙甘草勺藥之功也若東壁所引則似為赤

白異其味讀者當察

山柰 綱目

按酉陽雜俎捺祇形狀頗似水仙東壁附之於水仙條以為外国異其名者而又重出於此條曰頗似山柰恐誤矣如何山柰水仙其形狀不為彷彿則捺祇與山柰豈可類乎

豆蔻 別錄

時珍曰草豆蔻草菓雖是一物然微有不同而載建寧豆蔻滇廣草菓辨其形狀 俊按圖經曰豆蔻苗如蘆葉似山薑杜若輩根似高良薑根苗作樟木氣與蔵

器所謂山薑根及苗如薑而大作樟木臭者全相同則知豆蔻似山薑又閒實紅豆蔻苗如蘆其葉如薑微紅色海藥曰紅豆蔻嫩者入塩累（纍）作朵不散落須以朱槿花染令色深俱與圖經所說豆蔻亦同矣然則山薑紅豆蔻乱豆蔻（今紅豆蔻自中華來者與本草所說形狀不同未知為何物）是以鮮有得其臭者嘉謨言市家以草仁假代東壁亦言以山薑子偽充豆蔻因而考之以草菓豆蔻為一物者蓋假代既久遂誤其真今所用豆蔻與草菓形狀頗異矣恐非一物也嘉謨以為別種而各載其主療曰草菓生閩廣其狀與東壁所謂滇廣

草菓全相同而不載苗葉形狀者知朱目擊今從嘉謨之說當分别其主療詳見於本草蒙筌鄭樵以草菓豆蔻爲一物曰苗葉似山薑杜若葦根似高良薑花作穗可愛南人亦採其花淹藏以當果品與圖經所說同矣東壁本於此以爲同物而不論草菓苗葉凡卉豈得有實形狀異而苗葉形狀同者通志亦不足據矣

益智子 宝閑

按顧微廣州記曰益智葉如蘘荷莖如竹箭子從心中出一枝有十子東壁謬以爲無花之説而非之者

亦未知證類所引有詳畧之失也顧徵所説雖不言具花與圖經所謂具根傍生小枝高七八寸無葉花蔓作穗生具子者全相同矣所謂心中出一枝即別生一莖而花作穗者也今綱目所載藏器之説具根上有小枝高八九寸無華蔓莖如竹箭子從心出一枝有十子叢生二十八字非證類原文東壁合廣列記圖經而成文且以圖經無葉之葉改作華字俱為無花之説者可謂以五十步笑百步之類也詳見於校異

鬱金 草 唐本

主治陽毒入胃下血頻痛非李杲之言證類本草引孫用和秘寶方云治陽毒入胃下血頻疼痛不可忍其方用鬱金牛黄醋漿即見於附方東壁竊取為李杲之說附諸主治者誤矣凡主療者各詳論其一物之功而用之今東壁取諸方下之論而附會於主治雖有所據然其方不單用則非一物之功今正之

荊三稜宋開寶

發明好古曰三稜莪茂治積塊瘡硬者乃堅者削之也湯液本草無此文東壁所補按珍珠囊曰瘡堅而不潰者昆布王瓜根廣莪茂京三稜又曰馬刀未破

而堅者須用廣茂京三稜東壁之補與主治治瘡腫堅硬蓋皆本於此具以元素之言合好古之説者其義不相戾則尚何害之有哉獨至於主療治瘡腫堅硬者豈三稜一物之功乎可謂誤矣凡東壁所補主療撿出處如此類殊多矣好古主療不出湯液而出處未詳者亦可類推矣

莎草香附子 別錄

按蘊頌所説根苗花主療皆天宝單方圖所謂水香稜也王海藏以水香稜爲香附子東壁亦從之然天宝單方圖無爲一物之説而有但味差不同之文則

可見其爲别物也圖經附之因功狀與香附子頗相類非以爲一物耳今從證類當爲附録

藿香嘉祐宋

禹錫引南方草木狀曰藿香榛生今行南方草木狀

欽藿香就大平御覽考之亦作榛生則以藿香爲木

葉者可證矣東壁以榛生改作叢生而其說以爲非木

類者大反於舊義又按蘓頌之說亦異於證類本所

說藿香草葉而本草列木部金樓子俞益期牋亦爲

木葉然今南中藿香乃草葉而不合諸說謂南方草

木狀榛生者與金樓子俞益期牋其說正相符合也

東壁削然字段作今南中藿香乃是草類與嵆含所說正相符合其意與舊文相戾可謂誤矣又扶南之說似涉欺罔非原文東壁所補也禹錫蘓頌俱舉二說而無帰一之論藿香即草葉況旃檀沈香鷄舌薰陸非同類沈存中陳承皆有辨焉東壁亦以爲涉欺罔而反罔古人歟後世豈不戾哉東壁引楞嚴經以兜蔞婆香爲藿香者誤矣千金方薰衣香用兜蔞婆香藿香則兜蔞香非藿香可見也

## 澤蘭經本

綱目以孩兒菊爲澤蘭别名恐非也劉蒙菊譜曰紫

菊一名孩兒菊花如紫茸叢茁細碎微有菊香或曰即澤蘭也以其與菊同時又常及重九紫菊即馬蘭而非澤蘭其狀頗不同或以爲澤蘭者誤矣又蘭草條引訂蘭說以孩兒菊爲蘭草俱承誤於其所據今正之

石香葇 宋開寶

主治蕭炳功比香薷更勝按非證類原文蕭炳曰在石上者名石香葇細而辛更絶佳東壁載諸主治而又變其文者恐誤矣今從原文當附於集解

爵牀 本經

爵牀當作爵麻大平御覽引本草經作爵麻又吴氏本草爵麻一名爵卿俱無爵牀之名證類作爵牀葢傳誤耳今正之

蘓 別錄

別錄曰蘓下氣除寒中其子尤良而不別論其子𠕋壁重出下気除寒温中於子條更補温字者葢其意欲令讀者不覺重復而已別錄主療削亦可也

水蘓 本經

時珍曰元吴瑞日用本草謂即水蘇必有所據也今校日用本草無龍脳薄荷東垣食物本草云龍脳薄

荷南薄荷又名水蘇東壁以龍脳薄荷之名附此條者蓋本於此今食物本草日用本草合刻行於世則知謄寫之誤耳又本草蒙筌曰薄荷一名鷄蘇姑蘇龍脳者第一龍脳地名在蘇州府儒學前北此說不分別鷄蘇龍脳薄荷皆以為薄荷東壁不論其誤而為得名俱不同者可謂鈇具疑也

薺薴 拾遺

集解載蔵器之說出於水蘇條圖經所引證類作水蘇江左名為薺薴陳蔵器曰薺薴自是一物非水蘇水蘇葉有雁齒香薷氣辛薺薴葉上有毛稍長氣臭

按薺薴香薷水蘇三物具形狀相乱故蘇頌引嵗𠱁之説爲分辨本自明白也東壁謬而以爲水蘇薺薴二物之辨以香薷氣辛改作氣香而辛恐非也香薷亦蘇之類與水蘇薺薴頗相似不可不辨也

又釋名下時珍曰日華子釋水蘇云一名臭蘇一名青白蘇正此草也誤作水蘇爾而以其名附於此條以主療爲水蘇之功　俊按以主療附於水蘇則臭蘇青白蘇二名亦當入於水蘇條而附於此條者恐非也今載證類原文備考

日華子云水蘇暖治肺痿崩中帶下血痢頭風目眩

産後中風及血不止又名臭蕪青白蘵

菴藺本經

東壁曰吴氏本草及名醫别録並言駏驉食菴藺神仙駏驉似騾而小前足長後足短不能自食每負蟨鼠爲之囓食今校吴氏本草作驢馬食之仙去恐别録字誤駏驉當作驢馬則不俟東壁之解而其義明

卷之一終

849
4
30

# 本草綱目鈎衡卷之二

江都　向英俊　元秀

## 草部

### 艾 別錄

艾葉以蘄州者為勝謂之蘄艾海内貴之陳嘉謨以為非真艾即九牛草東壁非之謂嘉謨所説謬矣俊按圖經曰艾以苗短者為佳而蘄艾高四五尺則其所説不合矣嘉謨之言不可誣也東壁不論其狀異者及云他處艾灸酒罎不能透蘄艾一灸則直透徹此辨艾之真偽以火力強弱而不以服藥之功可謂

不知艾之用也諸家主療豈専主灸找而論其功乎

今載嘉謨之説而備考

本草蒙筌曰艾葉本經及諸註釋悉云生于田野類

蒿複道者為佳未嘗以列土捣也世俗反指此為野

艾至賤視之端午節臨僅採懸户辟瘦而已其治病

症遍求蘄州所産獨莖圓葉背白有芒者稱為艾之

精英倘有收藏不各價買被處仕官亦毎採此両京

送人重紙包封以示珍貴名益傳遠四方盡聞今以

形状考之九牛草者即此人多不識並以艾呼經註

明云氣雖艾香實非艾種盤用作炷以灸風濕痹疼

滂熱積聚嘗獲效者亦因辛竄可以通利關竅而已謂之全勝眞艾未必能然大抵人之常情遺遠賤近泥子習俗膠固不移縱有本經之文諸家之註何嘗着一目視以爲眞僞之别耶噫可勝嘆哉可勝嘆哉

大薊小薊別錄

東壁引范汪方以馬薊爲大薊别名恐非也按證類續斷條圖經引范汪方云續斷即是馬薊與小薊葉相似但大於小薊東壁本於此以馬薊爲大薊其説見於續斷條然有所以難依據者續斷條引外台秘要治淋用生續斷云馬薊根是也此方亦當移入於

此條反從證類舊引而附於續斷條則與前說自矛楯是非以馬薊爲大薊者此類使後世以名惑其實不可不辨也

按綱目以鷄項草併入於此條而不載其說今補之圖経曰鷄項草生福州葉如紅花葉上有刺青色亦名千針草根似小蘿蔔枝條直上三四月苗上生紫花八月葉凋十月採根洗焙乾碾羅爲散服治下血

續斷本經

按東壁引吴氏之説此是龍芻一名續斷者耳非此所謂續斷蓋因名有同者誤出於此耳宜附於龍芻

條也吳氏本草曰龍蔓一名續斷神農季氏小寒雷公黄帝苦無毒扁鵲辛無毒生梁州七月七日採可以證矣

漏盧本經

集解藏器曰南人用苗北土用根乃樹生如茱萸樹高二三尺有毒殺蟲山人以洗瘡疥此非全文故具義不貫通原文作漏蘆一名鹿驪生山南人用苗此人用根切在本經木藜蘆有毒非漏蘆漏蘆樹生如茱萸樹高二三尺有毒殺蟲山人以洗瘡疥用之自漏蘆一名鹿驪至切在本經謂漏蘆也木藜蘆有毒以下

非謂漏蘆者又出於木藜蘆條可以見矣藏器所說因木藜蘆漏蘆又俱有鹿驪之名故辨之曰非漏蘆㣲所引省畧相誤矣木藜蘆漏蘆遂為一物耳東壁亦不辨之者不考之失也

葈耳本經

按圖經曰爾雅謂之蒼耳禹錫引爾雅云卷耳蒼耳今校爾雅卷耳苓耳又廣雅云苓耳葹常枲故枲枲耳也皆作苓耳則本草作蒼耳者誤矣證類蒼耳之名出於唐本草蒼苓字相似因誤耳東壁亦承其誤為蒼耳之名出於爾雅不按其本之失也今正之廣雅

苓字不可解今姑闕此文

按證類本經別錄分別葉實氣味而不分其主療今東壁分溪毒二字偏屬諸莖葉未知其所據也葉氣味別錄墨字䏶痛溪毒亦墨字也若以本經爲實以別錄爲葉則䏶痛二字亦當爲葉主療俟校正

甘蕉別錄

今註云甘蕉花葉與芭蕉相似圖經云近年都下往往種之甚盛皆芭蕉也蕉類亦多此云甘蕉乃是有子者葉大抵與芭蕉相類此二説俱以爲一物二種蜀本圖經云甘蕉俗呼爲芭蕉東壁據之以爲一物

故主治混二蕉若大明根主療即芭蕉而非甘蕉也
蕉油亦同此類從證類而分別之詳見於攷異

石龍芻 本經

按吳氏本草曰龍芻一名龍珠一名龍鬚一名續斷
一名龍本一名草毒一名龍華一名懸莞神農李氏
小寒雷公黄帝苦無毒扁鵲辛無毒生梁州七月七
日採東壁以龍芻一名續斷誤而附於續斷條今載
原文證之別錄一名草毒綱目不載之亦踈漏矣

麥門冬 本經

蔎明宗奭之說東壁不取於證類而從湯液本所草

引而載之今按證類天門冬條衍義曰天門冬麥門冬之類雖曰去心但以水漬漉使周潤滲入肌俟軟緩緩擘取不可浸出脂液其不知者乃以湯浸一二時柔即柔矣然氣味都盡用之不効乃曰藥不神其可得乎治肺氣之功為多其味苦但專泄而不專收寒多人禁服餘如經王好古誤讀此說以為併論二門冬者因附諸湯液本草麥門冬條二門冬去心其法一也然天門冬苦平大寒麥門冬甘平微寒宗奭豈混而論之乎證類麥門冬條別有衍義之說可以證矣曰治心肺虛熱并虛勞客熱好古又合諸前說

且以與地黄阿膠麻仁同爲潤經益血復脉通心之劑二門冬五味子枸杞子同爲生脉之劑之文附之所引本乖於宗奭之意矣東壁亦承誤而不辨之遂混二門冬嗚呼東壁之疎於是可觀哉證類出於天門冬條而附於此條者皆當刋削

葵 本經

子主療别録婦人乳内閉腫痛證類作婦人乳難内閉千金方作婦人乳難血閉東壁以字乳之乳謬爲乳汁之乳削難字而合諸藥性論主乳腫能下乳汁之説其義與别録相戾矣冬葵子主産難其方見於

附方

龍葵唐本草

圖経曰老鵶眼睛草治風補益男子元氣婦人敗血七月採子具葉入醋細研治小兒火熖丹消赤腫具根與木通胡荽煎湯朋通利小便東壁併入於此條而以治風補益男子元氣婦人敗血之文附會於葉實二條之主治按七月採子句正屬上文則附於實主治者是而重出於葉主治者誤矣又苗與莖葉根分而為二條證類不分別苗葉而通稱葉如遠志葉称小草之類證類凡稱葉者東壁悉改作苗字而此

條獨分苗與莖葉未知其所據似孟浪

酸漿本經

按酸漿本經無用子用苗葉莖根之言然其主療所云産難吞其實五産七字當是子生療而其餘熱煩滿定志益氣利水道乃莖葉主療也別録云五月採陰乾可以證矣東壁以本經全文重出於子條者誤矣又改本經作別録則後世耳吾不肯取也嘉祐至療全文見於苗葉莖根條東壁强別出子主療亦反其意也

地膚本經

按唐本經引別錄曰擣絞取汁主赤白痢洗目去熱暗雀目澁痛苗灰主痢亦善若此說總言地膚子之功而苗灰主痢亦善六字獨屬苗葉主療東壁不辨之而混爲苗葉主療者誤矣又弘景曰取莖苗爲掃帚而東壁以掃帚爲別名可笑附而正之

## 金盞草 救荒

按金盞草即杏葉草與救荒本草金盞兒花其形狀大異矣圖經所謂杏葉草者蔓草也東壁以爲同物而併入於此條者誤矣

## 水英 圖經

時珍曰氣味缺無考證今按證類圖經以水英味苦性寒無毒東壁讀者豈與今行證類異耶可謂脫誤也

莊草別錄

東壁以別錄天蓼併入於此條而爲莊草莖葉其説見於釈名下而天蓼主治載藤恭之説又合蔵器作湯浸水氣惡瘡腫佳之文以爲藤頌之言又補根莖二字按證類俱附莊草條而亦無用莖葉之言東壁附諸天蓼下未知其所拠今從證類當出於莊草下

蛇繭草拾遺

按證類曰又有鼠莽草如菖蒲生石上取根藥鼠立死爾東壁改作有鼠繭草即後莽草八字者誤矣莽草證類列於木部其葉似石南或爲蔓草東壁因有草字以爲草類而移入於草部鼠莽草藥鼠立死莽草亦毒鼠而莽草又有菵草之名菵莽字相似因誤爲同物耳二物形狀大異不可以爲一物矣今正之

蒺藜本経

東壁分黑白蒺藜而補白蒺藜氣味主療按此條不載藥性論之説而附諸黑蒺藜主治下者誤矣若從圖經之説不問黑白則雖附於前條可也今載原文

證之

藥性論云白蒺藜子味甘有小毒治諸風癧瘍破宿血療吐膿主難産去燥熱不入湯用

蔏陸 本經

按釋名蓫薚爾雅作蓫 句 蕩乃二名東壁謬以爲一名全正之且以蕩改作薚應是拟於本經一名薚根然根字亦似不可謾刊者尒雅疏引本草云蔏陸一名蕩根則知蕩薚相通

常山蜀漆 本經

吴氏本草云恒山一名漆葉又蜀漆條云葉一名恒

山與別錄所說大異矣東壁拟吳氏本草於別錄中補二月二字而以恒山爲蜀漆根根葉之名與吳氏之說相反矣俊按澤蘭澤漆之類二月三月採其葉水蘓七月香薷十月採葉之類殊多矣然則以二月八月採不可謂非其葉也丹參玄參䕡茹遠志四五月採其根則蜀漆亦不可以爲非其根也吳氏本草實先於別錄故其說雖與別錄相戾不可以爲誤也此書失傳久矣今證類缺而不載者存於李昉所引而幸見一二殘編獨見虎一毛不知其斑殆不可辨也姑從李昉所引載原文而備考

吴氏本草曰恒山一名漆葉神農岐伯苦李氏大寒桐君辛有毒二月八月採

又曰蜀漆句葉一名恒山神農岐伯雷公辛有毒黄帝辛一經酸如漆葉藍菁相似五月採

天雄本經

宗奭曰補虛寒須用附子風家多用天雄亦取其大者以其尖角多熱性不肯就下故取其敷散也證類附於烏頭條而下有此用烏頭附子之大畧如此十一字則夫雄爲烏頭之誤必矣況古方治一切風證癱瘓用烏頭殊多矣天雄居其小半則不可謂多用

烏頭出於廣漢者多矣所以称川烏頭也

也東壁承誤輙附於此不思之甚也此宜從證類舊

例附於烏頭條矣

烏頭 本經

按諸家本草無烏頭草川之別古方書雖兼用二者

而無辨其種烏頭出於廣漢者多矣所以称川烏頭

也東壁始分之以附子母為川烏頭係野生者為草

烏頭此後世之說而非能解本經別錄者也東壁云

江左山南考乃本經所列烏頭今謂草烏頭者是也

其汁為射罔弘景不知烏頭有二以附子之烏頭註

射罔之烏頭此說甚誤矣別錄曰冬月採為附子春

採爲烏頭其莖汁煎之名射罔烏喙亦同根即四物同種而異用非二種也烏頭莖汁爲射罔殺禽獸東壁眩於此有毒以常用附子母之烏頭爲别物者不考經文之失也附子烏頭皆有大毒俱收時釀之其法見於圖經蜀本附子記蓋是採藥家之殺毒而用之者復有炮炙之制則常用烏頭其毒豈與經文異矣東壁以本經别錄甄權日華子蔵器烏頭烏喙射罔主療悉皆爲草烏頭主療以元素李杲好古所説爲川烏頭主療大失古人之意矣且以烏頭之野生於他處是爲草烏頭者出於藥草種蒔之後黄帝播

百穀始教耕稼未聞教藥草種蒔之法凡本草所說草木皆山野所生而非布種作之者如附子亦然矣今以本經烏頭持為野生而別立附子毋烏頭條者其誤莫大焉草烏頭川烏頭古方所用者猶白朮蒼朮羌活獨活之類耳

蒟蒻 宋開寶

按蒟蒻一名班杖日華子曰班杖者虎杖之別名是不知二物同名誤矣東壁以為天南星之類而有班者亦非也古今註云揚州人謂蒻為班杖此言可證矣蒻名班杖其莖班故有此名虎杖亦呼為班杖者因

虎得班名二氏不辨之故誤矣今贅之

半夏本經

按震亨主治眉稜骨痛出於東壁而非丹溪之言纂要曰眉稜骨痛屬風熱與痰治類頭風白芷酒黄芩爲末茶調下東垣治眉稜骨痛有選奇湯眉稜痛屬風熱非半夏之所治所以二方不用半夏是乃非丹溪可知也

蚤休本經

唐本主療生食一升利水此六字可刊去按證類甘遂條唐本註以草甘遂者乃蚤休也療体全别生食

一升亦不能利疑東壁因證類或脫一有不字者謬而為主治則反療休全別之說不考之失也今正之

莽草本經

別錄一名葞一名春草東壁以為白薇別名其說見於正誤條按白薇一名春草即二物同名而以為春草非莽草者恐非也吳氏本草云莽草一名春草別錄本於此

石龍芮本經

按東壁謂唐本草菜部所出堇即石龍芮苗也本經石龍芮言其子而以堇為重出併入於此條改作水

堇又於菜部重出堇條謂堇即果芹也是旣已矛楯

又以堇爲旱芹或爲石龍芮是非惟不識堇亦不

識石龍芮與旱芹也東壁之意實欺後世非神農

家之本眞也世不留心於古本草且不知東壁虛妄

往往懵然受弊者不爲少焉綱目之不可信也如此

條可證<sub>校異可參看</sub>

毛莨<sub>拾遺</sub>

東壁載水莨之名出於蔵器所引百一方本作水莨

今按肘后百一方無水莨而出於金匱要畧作<sub>則</sub>東壁

之所據而補百一方當作金匱要畧水莨要畧作水

莨要證類所引脫菪字疑傳寫誤矣東壁以水莨菪附於莨菪條復出於此條而刋菪字改莨作茛以爲一物具意歟後世耳今正之

鉤吻本經

按氣味辛溫大有毒東壁謂毒藥止云有大毒此獨變文曰大有毒可見其毒之異常也朝鮮本證類作有大毒則非變其文者若甘家白藥作小有毒豈爲異常乎可咲也

馬兜鈴宋開寶

肘后方云都淋藤嶺南皆有土人悉知俚人呼爲三

百而銀藥其葉細長高三尺餘藤生而無馬兜鈴同物之說且其葉亦與馬兜鈴異矣東壁以二名爲馬兜鈴別名未知其所拠按證類馬兜鈴條引聖惠方外臺秘要解蠱毒之方而都淋藤亦有解蠱毒之功則東壁似以其主療相同故誤爲一物恐非別有明證者也

紫葳本經

證類葳器曰骨路支味辛平無毒主上氣浮腫水兇嘔逆婦人崩中餘血癥瘕殺三蟲生崑崙國苗似凌霄藤根如青木香安南亦有一名飛藤綱目附骨路

支而不載其說今從證類補脫漏

又吴氏本草曰紫葳一名武葳一名瞿麦一名陵居腹一名鬼目一名茇華如麦根黒正月八月採生眞定後按弘景以紫葳爲瞿麦根全本於此也而東壁以瞿麦改作瞿陵曰弘景誤作瞿麦字不唯戾舊說又妄貶古人可謂誣矣

草薢本経

按時珍曰吴普本草以草薢爲狗脊誤矣此說非也吴氏本草云狗脊一名狗青一名草薢一名赤節一名强膂雖有草薢赤節二名而非指此草薢也又本

經狗脊一名百枝吳氏本草萆薢亦名百枝則二物同其別名而無以萆薢為狗脊之說本草同名異物殊多矣東壁以為誤者不考之失也

女萎草 唐本

按女萎本草所載二種而一者以女萎萎蕤連稱見於山草類中其條唐本註云女萎功用及苗蔓與萎蕤全別列在中品今本經朱書是女萎能効墨字乃萎蕤之効如此說則雖女萎蕤別錄混而為一條蘓恭以為別種故分出女萎新立此一條列中品然則主治當以本經朱字女萎之功出於此條而不載

之以女菀主療附會於此條故使後世讀者不識二
女萎元爲一物且唐本草以本經女萎之功不載於
此者有一明證矣女萎萎蕤條弘景曰今療下痢方
多用女萎而此都無止洩之說疑必非女萎以爲萎
蕤之効唐本草從此說以爲主療不可無止洩之功
者故竊取女菀主療以附會於此條合於療下痢方
多用之說然反於前說不可不察焉今所以知二女
萎爲一物者此條所載形狀合於上品女萎苗蔓與
萎蕤全別之說則非別種可見也自唐迄今諸家范
然不察獨藏器言二女萎功用同矣更非二物然未

悟以女菀主療附會於女萎之妄耳蘊頌李時珍亦以為女萎有二種皆不考之失也今附女菀主療於下以明具所據此條主治可刊去

女菀本經味辛溫主風寒洗洗霍乱洩痢腸鳴上下無常処驚癇寒熱百疾別録療肺傷欬逆出汗之寒在膀胱支滿飲酒夜食發病本經文共此條主治全同矣於別録文唯取出汗二字亦唐本草引李當之止下痢消食亦出於別録似假重於李氏

茵草本經

按東壁引衍義補遺以過山龍為一名今考之無茵草發明又引震亨之言出於纂要亦無過山龍之説

東壁附會於此未知何所據也本草蒙筌云茅根俗呼過山龍由是觀之則附此條者誤矣

通草本經

按證類陳藏器云本功外子味甘利大小便宣通去煩熱食之令人心寬止渴下氣此實主治耳東壁謬出於木部宜以此附實主療今正之

通脱木拾遺

按湯液本草通草木通分而為二條通草即通脱木也通草條引日華子云明目退熱催生下胞下乳是木通主療好古引於通草條者誤矣東壁亦從好古

所引附於此條而爲汪機之說既爲誤且此言本出於日華子則直以爲汪機亦誤矣

木蓮 遺拾

按證類本草木蓮扶芳藤元非二物東壁分條以木蓮爲別種合載證類原文以正其誤矣讀不俟其辨原文陳藏器曰扶芳藤味苦小温無毒主一切血一切氣一切冷去百病久服延年變白不老山人取楓樹上者爲附楓藤亦如桑上寄生大主風血一名滂藤隋朝稠禪師作青飲進煬帝以止渴生吴郡採之忌塚墓間者取莖葉細剉煎爲煎性冷以酒浸服藤

苗小時如絡石薜荔東壁於絡石下句而薜荔以下為木蓮之解誤矣一物分而為二種者在此黄緣樹木三五十年漸大枝葉繁茂葉圓長二三寸厚似石韋生子似蓮房中有細子一年一熟子亦入用房破血一名木蓮打破有白汁停久如漆採取無時

又一名薜茘本非木蓮別名葴蕃曰絡石與薜荔相似更有木蓮石血地錦等十餘種藤並是其類則可見薜茘非木蓮東壁以薜茘實為木蓮且引拾遺可謂誤矣

酸模日華

按別錄有名未用曰蛇舌味酸平無毒主除留血驚氣蛇癇生大水之陽四月採花八月採根綱目出諸目錄而不附於此爲脫漏今補之

菖蒲本經

弘景曰眞菖蒲葉有脊一如劔刄蘓頌亦從陶氏之說今所採者葉無劔脊又白菖蒲蘓頌曰葉似菖蒲中心無脊今採者有劔脊與本草所說相反矣今按吳氏本草菖蒲一名堯時韭乃取其葉而名之耳其無劔脊可證矣二氏之言恐非也陶氏謬而諸家不察之東壁亦不辨之者似缺其考俟校正

水萍本經

時珍曰本草水萍乃小浮萍非大蘋陶蘊俱以大蘋註之誤矣按此言似是其實非也陸佃羅願俱分辨蘋萍而爲二種東壁從之耳然未知本草稱水萍其實蘋也爾雅云萍蓱其大者蘋則知萍兼蘋之號也楚王得萍實大如斗圓而赤此物雖萍之類其實蘋非無根而漂浮者所能生也楚辞所謂靡萍九衢衢猶道其葉分爲九衢蘋四衢而已九衢則大於蘋可知也二種皆非浮萍而稱萍則蘋得萍名由來之矣本草水萍亦非浮萍可類推矣陶蘊之說不可以爲

誤也東壁亦於蘋萍之辨可謂盡矣雖然其意出於後世非據本經別錄具氏本草而爲説者故余不取之也又吴氏本草水萍與此條水萍非別種東璧以爲別種是爲創立下條欲欺人張李具辨見於下條

蘋 吴氏本草

證類本草無蘋條説見於前條與本經水萍非別種東壁分條曰依吴普本草別出於此今按吴氏本草稱水萍一名水廉而無蘋名其所説與前條水萍全相同矣今就此考之東壁以本經水萍爲浮萍以吴氏水萍爲蘋者惑後世萍蘋之辨欲兩收之而已元

不識水萍即萍蘋之號故以一種水萍分爲二物耳

又此條主治引吳普之說今就李昉所引考之即本經水萍主療其文與前條無一字異矣東壁創立此條都欲異於前條故省舊文唯取暴熱下水氣五字補利小便三字其實非吳氏之說成於東壁手中甚哉欺後世學者其可不詳察乎

井中苔及萍藍別錄

按證類弘景曰井底泥至冷亦療湯火灼瘡非苔也東壁誤出於此條主治今正之

垣衣別錄

按證類垣衣條唐本註云屋上者名屋遊在下品形並相似爲療畧同別録云主暴風口噤金瘡酒漬服之効東壁以此爲垣衣之功補入於主治中者恐誤矣唐本註以二物主療略同故引別録證焉東壁不辨之者不考之失也又主治別録原文亦不可信矣說見於烏韭條

烏韭本經

弘景曰垣衣亦名烏韭而爲療異非是此種類也 按烏韭與垣衣具主療無異今考之屋遊垣衣主療全出於此條又垣衣別録主療者即合此條本經別

録而成文唯以本經文改作心煩欬逆血氣暴熱在腸胃而别録文全相同矣然則與療胃之說乖背不似一家之書實後人之所附會而非别録原文可以證矣屋遊别録主療者全此條本経文亦疑後人之所附會也唐宋間奉詔編緝者皆非一人之手故錯乱蹐駁遂失其真不能無遺憾焉東壁以為一類不究其原之失也

雜草

按證類蔵畧曰七仙草主扶瘡搗枝葉傅之生山足葉尖細長綱目出諸目録而不載其說今從證類補

脱漏

穀部

小麦 別録

證類引食療云麨有熱毒者爲多是陳黦之色又爲磨中石末在内所以有毒但杵食之即良又宜作粉食之補中益氣和五臟調經絡續氣脉又引孟詵云作麨有熱毒多是陳裛之色作粉補中益氣和五臟調詠又炒粉一合和服斷下痢 俊按麦末謂之麨與粉非二物也東壁本於又宜作粉食之説分麨粉爲二物以粉比英粉之粉者誤矣食療文先言麨有熱

毒後言其功中間有其文故如又字非為別物之謂也且葯不言其功則為一物必矣證類引食療省略各異不考覈其義安知其本意哉凡引諸家之說亦皆省其文好為簡畧故矛盾而不明使後世煩惑者其病正在此也

雀麦唐本草

按外臺秘要雀麦一名牡姓草似牛尾草治齒𧏾其方與附方所載相同矣尾千金方作毛謂其形狀非別名證類引之作雀麦草一名牡姥草俗名牛星草疑傳寫誤矣東壁從之以牛星草為一名恐非也今

從外台千金正之

稻別錄

證類引孫真人糯米味甘脾之穀脾病宜食益氣止
泄此說非謂糯米千金翼作粳米味甘苦平無毒主
益氣止煩止泄慎微謬而附會於此條東壁亦承其
誤是不就其本而考之失也氖味下引思邈曰味甘
今按千金食治糯米味苦溫無毒粳米味辛苦平無
毒俱無甘說慎微所引本於千金翼而者苦平無毒
四字又千金方五味所配方米飯甘東壁若以米飯
為糯米則亦非也米飯即粳米又云脾病宜食粳米

皆非糯米也今正之

**稷** 別錄

正誤東壁載吳瑞之說而正其誤今按食物本草作秫蜀其穀最長而多米粒亦大化地種之以備缺糧否則喂牛馬南人呼為蘆穄東壁所引非吳瑞之言又蜀黍條引以為汪頴之說舛莽可見耳且秫蜀即蜀黍而食物別有稷米條則秫蜀非稷米可以證矣東壁以秫蜀為稷米遂致貴辨今綱目所引從己之意而改其文大失古人之意耳後世学者實為東壁誤矣

又附方中稷根呼爲高粱根，按諸書稷無高粱之名

高粱即蜀黍，東壁誤附於此

綠豆　宋開寶

按千金食治曰青小豆味甘鹹溫平澁無毒主寒熱熱中消渴止泄利利小便除吐逆卒澼下腹脹滿一名麻累一名胡豆，東壁以此附會於豌豆條，今此條主治亦引思邈之說者本於此，則以青小豆爲豌豆或爲菉豆，可謂誤矣豌豆條可參看

又按證類菉豆條云又有植豆苗子相似主霍乱吐下，取葉擣絞汁和少醋溫服子亦下氣，則植豆非綠

豆而爲別物可見也今東壁所載綠豆葉主治即植
豆葉主療而非菉豆附而正之

豌豆拾遺

證類舊標胡豆熱豌豆之名因考之東壁所載吳瑞
之說出於東垣食物本草即豌豆主療而非吳瑞之
言也飲膳正要亦有豌豆其主療相同而益中平氣
作和中益氣又有青小豆與千金方青小豆其主療
無異矣東壁合諸豌豆主療恐非也乃煮食下乳汁
五字出於正要青小豆條而非豌豆之功也拾遺胡
豆與豌豆青小豆其主療亦不同矣正要別有回回

豆即胡豆而三物爲別種可知也東壁本於千金方

青小豆有胡豆之名合而爲一然又疑青小豆亦是

菉豆故於菉豆條復重出此主療則知東壁亦非識

青小豆者今正之

蠶豆 食物

時珍曰吴瑞本草以此爲豌豆誤矣今按今行日用

本草無蠶豆凢綱目引吴瑞大半出於東垣食物本

草則東壁所見亦應是今行日用食物合刻者東垣

食物本草云蠶豆味甘溫氣微辛主快胃利五臟或

點茶或炒食佳與東壁所引汪頴食物本草之說無

異矣今以吴瑞爲誤者未知其所據又引太平御覽云張騫得胡豆種歸指此亦杜撰不可信矣

大豆豉別錄

按東壁者淡豉鹹豉之分而以豉爲淡豉以蒲州豉爲鹹豉俊秀蔵器曰蒲州豉及陜州豉入藥並不如今之豉心爲其無塩故也如此則蒲州豉陜州豉即淡豉而非鹹豉也孟詵載陜府豉汁之法加塩與蔵器之說異矣若陳氏之言則入藥称豉心者鹹豉也

今附備考

陳廪米別錄

顧炎武日知錄云五經得於秦火之餘其中固不得無錯誤學者不幸而生乎二千餘載之後信古而闕疑乃其分也近世之說經者莫病乎好異以其說之異於人而不足以取信於是舍

證類唐本註云傳稱食廩爲禄𢈪廩倉也陳倉米曰𢈪字誤作𢈪廩即𢈪廩軍米也若𢈪廩軍新米亦爲陳乎此說東壁刊而不載之萬安方引本草葢本於此說以陳𢈪米爲𢈪廩軍米軍與郿通爲地名其說與今行證類異矣此書梶原性全所着希世之秘本凡所引之古方書雖千金外臺不及遠矣二書引小品方未知有大品方此類性全引之者殊多矣由是觀之則尚書全文逸書百篇日本國尚有之之言不可誣也往歲

鹿門先生奉

官命令謄寫此書僕得見之於先生熱中今以其所

本經之訓詁而求之諸子百家之書猶未足也則舍近代之文而求之遠古又不足則舍中國之文而求之四海之外如豊熙之古書世本尤可怪焉昌箕子朝鮮本有箕子計於朝鮮得書古文自帝典至微子止後附洪範一篇曰徐市倭國本者徐市為秦博士因李斯坑殺儒生託言入海求僊盡載古書至島上立倭國即今日本是也三國所譯書具曾大史河南布政使慶錄得之以藏於家按宋歐陽永叔日本刀歌徐福行時書未焚逸書百篇今尚存蓋當時已有是說而葉少蘊固已疑之矣詩人寄興之辭豈必真有其事哉日本之職貢於唐久矣白

臆記附而備考

萬安方曰性全按陳廩米者日本人皆以謂在倉廩中經年庨大誤矣今如諸本草說者廩軍地名米即雖新米如陳米入用藥尤佳餘列餘地米必須用陳米也但雖言陳米不可用經兩三年之米只經一年之米亘用之今不見蜀本草者用經數歲之米大謬矣

麳 宋嘉祐

按麳證類新補主療下註云見藏器孟詵蕭炳陳士良日華子東壁從此註各分具主療而為藏器孟詵吳瑞日華子之說今缺蕭炳陳士良剩出吳瑞之說

唐及宋歷代求書之詔不餙得而二千載之後慶乃得之其得之又不以献之朝廷而藏之家衕也

宋咸平中日本僧大周然以鄭康成注孝經來献不言有尚書

其誤不辨而可知耳凡嘉祐主療東壁分其說而附所出者皆無按據杜撰不可信也宜從證類原文

葡萄酒 綱目

按此條釀酒燒酒分而為二種釀酒主治未知其所據燒酒主治引飲膳正要與證類所引食療文正相同矣又引汪頴食物本草亦與證類唐本註無異矣東壁取諸未而捨其本今考之二說當附釀酒下證類所謂葡萄酒以子釀酒或取藤汁釀酒非以燒酒造之者飲膳正要汪頴食物本草俱本於證類則和為釀酒耳又以燒酒造諸出於草木子曰酒法用器燒

酒之精液取之名曰哈剌基酒極濃烈其清如水蓋酒露也每歲於箕寧等路造葡萄酒（下文見於集解故畧於此）是元朝造葡萄酒之法而非古法也今以燒酒造之故其毒亦烈於食療唐本註所説耳東壁引飲膳正要食物本草誤矣今正之

## 菜部

### 韭（別錄）

千金方曰韭歸心宜肝可之食安五臟除胃中熱不利病人其心腹有痼冷者食之必加劇按不利病人之不字應爲亦字與別錄利病人可之食合其旨旦

若千金文於義亦不通不亦字相似誤者無疑矣又
按千金方作可久食無不字東壁於主治引千金方
作不可久食不利病人者不考之失耳

葱本經

按葱證類舊標葱實唐本註云人間食葱二種有凍
葱即經冬不死分莖栽蒔而無子也又有漢葱冬即
葉枯圖經曰漢葱莖實硬而味薄冬即葉枯凍葱之
說如唐本註東壁亦從而和之然則本經所謂葱實
即漢葱實也又衍義云葱實初生名葱針至夏則有
花於秋月植作高溝壠揔壅起以備冬月白葱葱其

實一也如此說則葱結實及經冬不死者本非別種矣今冬月中食者農家以草覆之尚得竟冬食之如衍義所說而此葱夏有花結實則爲一種明白也齊民要術種葱之法收其子而無分莖栽蒔之說諸家分漢涷爲二種恐誤矣

茖葱千金

按氣味辛微溫無毒主治除瘴氣惡毒久食强志益膽氣子瀉精出千金方樓葱條而非茖葱氣味主療東壁以樓葱爲茖葱未知其所據唐本註云葱有數種山葱曰茖葱圖經云山葱主山中細莖大葉食之

香美於常葱一名茖葱又有一種樓葱亦冬葱類也衍義云龍角葱每莖上出岐如角皮赤者名樓葱子辛色黑有皺紋作三辨三氏之說皆以為别種而東璧特以樓葱為茖葱誤甚矣救荒本草云山葱葉似玉簪葉合於細莖大葉之說可見非冬葱之類耳樓葱宜附葱條

山蒜 圖經

證類存文韭條云石蒜生石間又有澤蒜根如小蒜葉如韭生平澤並温補下氣又滑水源又有諸葛亮韭而長彼人食之（佼）按滑當作謂地名非主療之文

又有諸葛之又字衍可削去　北户錄云存文韭軍人食之周存文帝所植如渭水源諸葛亮韭亦諸葛所種也此説可以正其誤矣此條主治附澤蒜石蒜從證類載滑水源三字則東壁亦兼其誤今正之

菘別錄

按圖經曰菘比蔓菁有小毒不宜多食然能殺魚腥最相宜也多食過度惟生薑可觧其性東壁載諸氣味下而削殺魚腥最相宜之文蓋爲紫菘之功謬混於此者恐非也證類菘條禹錫引蔵器曰去魚腥動氣發病薑能制其毒葉大多毛者是也圖經所説全

本於此耳然藏器言葉大多毛乃芥而非菘且菘諸
家無有毛之説東壁知菘紫菘蔓菁具辭相誤而不
言芥亦相乱不可不辨也陶氏云芥似菘而有毛唐
本註云芥葉大麤者堪食乃合於藏器所謂葉多大
毛禹錫蘇頌俱失於不考

白芥 家開寶

按此條所載別錄主療即開寶本文而非別錄也唐
本註引別錄云子主射工及疰氣發無常處丸服之
或擣爲末醋和塗之隨手有驗東壁省略此説唯作
醋研傳射工毒六字而附會於開寶文中全作別錄主

療者實欺後世矣又前條芥子主治出別錄原文而為蘇恭之說所說本非白芥子而重出此條則不辨別錄所說為何物矣今正之

生薑別錄

主治解食野禽中毒成喉痺俊按野禽當作竹鷄鷓鴣痺當作瘡張杲醫說曰楊立之喉閒生瘡既腫潰而膿血流注曉々不止寢食俱廢楊吉老熟視良久曰此疾甚異須先啖生薑片一斤立之曰吉老醫術通神其言不妄試取一二片啗初時殊為甘香稍復加益至半斤許痛処已寬滿一斤如覺味辛辣膿血

頓盡粥入口吉老曰君官南方多食鷓鴣此禽好啖半夏久而毒發故以薑制之崔魏公暴亡梁新診之曰中食毒僕曰常好食竹鷄梁曰竹鷄多啖半夏苗蓋其毒也命捩生薑汁折齒灌之遂復活據此說則不啖半夏者雖野禽不可有其毒也而東壁作野禽中毒者妄已

水靳 本經

按拾遺有水芹渣芹二條而各載其主療今綱目水靳主治載藏器之說合水渣主療而以二芹爲一種者兼其誤於證類本因傳写誤而二名相反耳拾遺渣

芹當作水芹其主療與本經水靳全相同則可見非渣芹也又拾遺水芹即渣芹也言水芹有實則反本經水芹有花無實之說水芹當作渣芹必矣東壁不識傳寫相誤遂以二芹為同物今正之渣芹當為此條附錄又載證類原文而備考

拾遺水芹莖葉搗絞取汁去小兒暴熱大人酒後熱毒鼻塞身熱利大小腸葉莖根並寒子溫辛（即渣芹證類誤作水芹）

又渣芹平主女子赤白沃止血養精神保血脈益氣嗜飲食利人口齒去頭中熱風和醋食之亦能滋人

患鼈瘕不可食（即水芹證類作渣芹誤矣）

堇草（唐本）

按東壁作水堇以為石龍芮苗而併入其條曰唐本草出於菜部條堇出故併為一又此條從證類舊例堇出於菜部則反於前言且以堇為旱芹非惟不識堇為何物亦不知旱芹與石龍芮耳讀者亦因循遂無辨以一種堇為二物之誤者此類不可不熟溶也說在石龍芮條可參看

雞腸草（别録）

按證類圖經曰蘩縷一名雞腸草實一物也葛氏治

卒淋方用鷄腸草及蘩縷似各是一物其用大概主
血故婦人宜食之今口齒方燒灰以揩齒宜露然燒
灰減力不若乾作末有益矣此說以鷄腸草與蘩縷
爲一物旣反於别録之說今綱目從舊例而爲二條
然以研末或燒灰揩齒去宣露之文獨附會於此條
專爲鷄腸草之功恐非藾頌之意也又孟詵曰鷄腸
草溫作菜食之益人治一切恶瘡擣汁傳之五月五
日者驗東壁附諸蘩縷條則以爲鷄腸蘩縷其名誤
反者而又此條主治引孟說之說即鷄腸草主療而
非蘩縷然則非其名誤反者可見也今東壁以一物

之功分出於二條者失孟詵之意矣

馬齒莧蜀本草

按主治蘇頌治女人赤白下證類作古方治赤白下多用之而崔元亮海上方着治赤白下方俱無女人二字東壁補之又附方引之作赤白帶下誤矣赤白下猶言赤白痢弘景曰赤莧療赤下唐本註作赤痢圖經作血痢則可見非今帶下耳又保昇治自尸脚陰腫證類蜀本作諸腫瘻癧自尻脚陰腫蓋東壁不知傳寫誤字而從之及見朝鮮本證類作諸腫瘻疣目尻脚陰腫具疑豁然而解今附而備考

苦菜本經

東壁曰苦菜家栽者呼爲苦苣遂以嘉祐苦苣爲同物而併入於此條𠋫按嘉祐苦苣條云苦苣即野苣也野生者又名褊苣今人家常食爲白苣此說以苦苣爲白苣野生者則可見非苦菜耳又東壁於白苣條曰白苣味苦者爲苦苣亦與前說自相矛楯然是足可以取矣嘉祐所謂江外嶺南吳人無白苣嘗植野苣以供厨饌野苣即苦苣與白苣同類也唯白苣元附苦苣條至證類始分條耳而今東壁不併入諸白苣條而併於苦菜可謂誤矣又苦蕒證類冷無毒

治面目黄强力傳蛇虫咬又汁傳丁腫即根出綱目

併諸此而删其主療今補脱漏

芋別錄

按證類曰華子所説有芋薑芋二種而綱目主治破宿血去死肌和臭煮食甚下氣調中補虚是合薑芋主療而成文東壁蓋以爲薑芋之名因以主薑煮之非異具種者誤矣薑芋辛蘞固應有此名而此物辛蘞過甚故以生薑煮之又换水煮方可食是太辛以辛猶塩去鹹味是芋中之一種而其功亦豈同於常用芋耶今載原文備考

證類曰華子曰芋冷破宿血去死肌其中有數種有
芽芋紫芋園圃中種者可食餘者有大毒不可容易
食薑芋辛辣以生薑煮又换水煮方可食和魚煮甚
下氣調中補虚

土芋拾遺

按證類土芋無土卵之名東壁以土卵爲一物而附
會於此條疑非一物耳拾遺云土卵人以灰汁煮食
之不聞有功也一芋亦出於拾遺若東壁之説爲一
物則不可言土卵不聞有功也又證類土芋蔓如豆
東壁作蔓生葉如豆未知何是俟校正

壺盧日華子

壺盧證類舊標瓠，東壁改作壺盧，誤矣。埤雅云：似匏而圓曰壺，壺，圈器也，故謂之壺，亦曰壺盧。短頸大腹曰匏，傳曰匏謂之瓠，誤矣。蓋匏、苦瓠、甘瓠有長短之殊，定非一物。瓠狀要類於首尾，類於要，微銳，由是觀之，壺盧、匏、瓠非一物分明也。唐本注云：瓠味晧時有苦者，而似越瓜，長尺餘，頭尾相似，則合於埤雅之説。壺盧即匏類，而非瓠也。瓠，證類附於苦瓠條，而無晧若之別。獨千金食治以晧瓠爲一條，而分於苦瓠。東壁本於此創立此條，而分出日華子孟詵瓠主療，載渚主治然於瓠古人元不辨甛苦東壁以爲日華子主療中吐呕𧉅非甛瓠所療故削去此三字而出於苦瓠條則以壺盧爲甛瓠者不辨而可見也今考東壁所說非惟不識壺盧亦不辨匏瓠故標題相誤矣宜從千金作甛瓠且使讀者無访洋之嘆不可不察也

絲瓜 綱目

東壁以天羅勒附於此條言江南呼絲瓜爲天羅則疑似一物今按朝鮮本證類天羅勒如羅勒生江南平地然則非絲瓜種類當附於羅勒條附而俟校正

紫菜 食療

氣味甘寒無毒證類蔵器曰甘寒無無毒二字食療
氣味鈌俊按無毒當作有毒食療曰此是海中之物
味獨有毒性凡海中菜所以有損人也此說足以證
矣今綱目削而不載且補無毒二字大反孟詵之意
矣

芝本經

按時珍曰芝乃腐朽餘氣所生正如人生瘤贅而古
今皆以為瑞草服食可仙誠為迂謬此說恐非也別
錄云六芝生泰山華山嵩山高下山谷則非若李嘉
亂所居柱上生芝之類所在大異矣別錄亦無生朽

木株上之説今東壁所謂芝者即弘景所謂俗用紫
芝此是朽樹木株上所生狀如木櫁名紫芝葢止療
痔而不宜以合諸補丸藥者而非本經六芝之類耳
東壁以同名謬爲一物且以療痔之功附會於六芝
中紫芝主治者大誤矣凡物腐朽餘氣鬱蒸所生未
嘗有無毒者也焉有久服輕身不老延年之功乎若
東壁之説則本經六芝主療亦不足信矣

本草綱目鈞衡卷之二終

坤

# 本草綱目鈎衡卷之三

江都　向英俊　元秀著

## 果部

李 別錄

按吳氏本草云李核仁治仆僵花令人好顏色東壁似令人好顏色五字附會於核仁主治者誤矣又根白皮主治載吳普治瘡今考證類及吳氏本草俱無此說治瘡疑當作下氣證類序例下氣條有李根白皮則似東壁引之今所以知下氣誤作治瘡者因次有蝕膿條而所引誤耳蝕膿作治瘡之文作吳普之

類殊多可推知矣又孟詵治女人卒赤白下之說本非根白皮之功按證類取李樹東面皮去皺皮炙令黄香以水三升煮汁去滓服之即樹皮也而附諸根白皮主治者誤矣

梅 本經

按本經梅實即烏梅也別録云採實火乾其文雖無烏梅之名非生實也東壁亦以本經別録文為烏梅主療者可也然具氣味酸平無毒附諸生實氣味着誤矣又烏梅氣味酸温平濇無毒東壁所補本於千金食治亦誤矣今按五味損益食治篇梅實無火乾

之說則為生實必矣今東壁欲別生梅烏梅而所載氣味二物自相反且戾於舊說不可不辨也

又按陸璣詩疏曰條稻也云云梅樹皮葉似豫章葉大如牛耳一頭尖赤心華赤黃子青不可食柟葉大可三四葉一聚木理細緻于豫章子赤者杖堅子白者杖脆荊州人曰梅此說終南有條有梅之梅而柟木之類也非標有梅之梅東壁亦以為柟其說見於柟條而今於此條釋名下既以郭璞註尔雅以柟為梅為誤而又集解引標有梅之疏子赤者杖堅子白者杖脆之文則傳埤雅之誤且不知自相矛楯耳讀

者宜察

栗（別錄）

栗殼東壁曰栗之黑殼按此言非也殼卽毛殼非黑
殼唐本註云其皮名萩搗爲散蜜和塗肉令急縮毛
殼療火丹毒腫毛殼卽毛毬也今栗殼條所引日華
子孟說之說倶稱殼而無毛字然可見非黑皮也東
壁以殼爲黑皮故二家之說不附於毛毬下而別爲
一條誤矣又樹皮主治引孟詵丹毒五色無常美栗
皮有刺者煎水洗之是非樹皮有刺則毛毬樹皮豈
有刺乎孟詵云樹皮主瘅瘡毒綱目缺之今附而備

考

棗本經

按大棗主治孟詵小兒患秋痢與蛀棗食之良蛀證
類作蟲又東垣食物本草大棗條引此說作小兒苦
患秋痢與腹中有蟲食之最良東壁以蟲爲蟲蠹之
蟲改作蛀字恐反於舊義矣且孟詵之說與日華子
所謂大棗和光粉燒治疳痢既同其意耳東壁亦於
日華子文中補疳病蟲蠹不宜啖之八字以爲大棗
味甘非蟲病所宜者余未辨其是非附而俟校正

鹿梨

東壁引陸璣詩疏曰實似梨而酢亦有美脆者今校
之作其實如梨但實甘小異耳今人亦種之極有脆
美者亦如梨之美者東壁省其文且改甘字作酢及
補氣味酸濇寒無毒七字與陸璣所謂鹿梨其味大
異矣因考之似梨而酢者櫨非鹿梨也爾雅註云櫨
似梨而酢澀東壁以甘作酢全本於此者因古人有
櫨梨橘柚之称而以櫨爲梨之類矣又櫨呼爲櫨子
綱目别有櫨子條與榠櫨原同條而其條曰一名木梨
此條亦有樹梨之名樹木相同則雖無櫨子鹿梨同
物之說其實以爲一物者必矣且於日華子榠櫨主

療中竊取煨食止痢四字爲蘓頌之說而附會於此條以欺後世不可不辨也

## 榲 宋閩宝

按主治載李珣主水瀉腸虛煩熱散酒氣宜生食之說即文林郎主療而非榲桲海藥云文林郎味酸香微溫無毒主水瀉腸虛煩熱並宜生食散酒氣可以證矣東壁以文林郎附會於榲桲者因海藥所謂文林郎南山亦出之彼人呼榲桲謬而爲同物耳又東壁引海藥改作閡中謂林檎爲榲桲而曰林檎榲桲蓋相似而二物也海藥誤矣如此則文林郎不可附

會於此條其義自相矛楯且文林郎即林檎今李珣之説當併入於林檎條又木皮主治搗末傅瘡亦非榅桲木皮之功當附於樝子條今正之

**柰** 別錄

按東壁補一名頻婆元非柰别名也又引飲膳正要云頻婆甘無毒生津止渴今校之正要作平波頻婆平波諧聲耳此物與柰别種非一物且飲膳正要别有柰條可以證矣一統志云頻婆似莎果而長大似梨而皮薄味香頗似於柰東壁以爲一物者誤矣

**柹** 別錄

按綱目主治分條者四烘柿白柿烏柿醂柿東壁謂
烘柿即青緑之柿收置器中自然紅熟如烘成其主
治引别録通耳鼻氣治腸胃不足郎柿主療而非烘
柿又解酒毒壓胃間熱止口乾出於唐本經郎别録
軟熟柿主療東壁合而爲烘柿主治者恐誤矣證類
舊標柿無烘柿之目别録亦無火乾日乾之文則稱
柿者當是生柿非烘柿明矣東壁以柿爲烘柿者蓋
因有軟熟柿誤之耳今有樹上至軟熟者何必待收
置且綱目不載生柿則似爲非烘柿白柿烏柿醂柿
不可食豈有此理哉烘柿當作生柿又主治引孟詵

補氣續經脉之說郎紅柿主療耳紅柿郎柿中一種
詳見於圖經東壁以爲罨中紅熟者亦誤矣又白柿
主治東壁載大明孟詵之說非原文以柿與白柿之
功合而成文具辨見於校異凡諸家主療有柿白柿
烏柿之別而無烘柿之目則東壁之誤不辨而可知
也

金橘目綱

釋名載金柑山橘夏橘給客橙之諸名而東壁曰已
上皆指今之金橘但有一類數種之異耳此言誤矣
橘柚柑橙亦雖同類豈其一歟今從所引而考之皆

與金橘其形狀異而非同物矣東壁以爲金橘異称令讀者無分别且其所引皆從已意而非其原文也

詳見於校異

楊梅 宋開寶

按證類食療云楊梅甚酸美小有勝白梅又白梅未乾者常含一枚嚥其液亦通利五臟下氣若多食之損筋骨是本分别二物之功且以白梅附於此者以二物味相類毋東壁不辨之以塩者常含一枚咽汁利五臟下氣十三字謬而爲楊梅塩醃者附會於此條今正之又北户録曰博物志云地有章名則多楊

梅得非誤耶南越志安章縣白蜀里多楊梅求之曰白蜀去章遠矣註引吳興記曰故章縣有石槨山出楊梅常以貢御張華所謂地名章必生楊梅蓋謂此也陳藏器引張司空之說作地瘴無不生楊梅者與段公路所引具義大異矣今行博物志無此說今附而備考

櫻桃 別錄

按證類孟詵云櫻桃益氣多食無損 非此條櫻桃卽下條山櫻桃

又云此名櫻非桃也不可多食令人發闇風 此條櫻桃

又食療云温多食者所損令人好顏色美志此名櫻

桃俗名李桃亦名柰桃者是也甚補中益氣主水穀痢止洩精（此條櫻桃）如此說則此條櫻桃性溫下條山櫻桃性熱而多食無損四字當附山櫻桃條東壁附此條者於圖經所謂雖多食無損但發虛熱耳惟有闇風人不可噉噉之立發雖然發虛熱發闇風則反多食無損之言又圖經云孟詵以為櫻非桃類未知何據東壁從此無稽之說以不可多食改作多食無損者誤矣夫損益之言係於壽夭可不慎哉又一名李桃東壁移為山櫻桃別名且取止洩精三字重出於山櫻桃主治（梭）推東壁之意櫻桃二種而具名相乱

故下條櫻桃改爲山櫻桃雖從證類分各條其實誤以爲一物耳弘景註此條云此即今朱櫻味甘酸可食而所主與前櫻桃（即下條山櫻桃）相似孟詵亦以其性溫熱而分别二種則非一物可知也綱目除弘景之説者其意從圖經也

木威子（拾遺）

按綱目引陳藏器之説本非證類原文東壁合廣州記成文言陳氏之説出廣州記可謂欺人矣今秀之廣州記無葉似楝葉四字則知非出廣州記者也南越志曰博羅縣有合成樹十圍去地二丈分爲三衢

東向一衢木葉似楝子如橄欖而硬削去皮南人以為糝南向一衢橄欖西向一衢三丈此樹三衢為別株則東向一衢當是木威與金樓子所說全相同矣且葴器所謂葉似楝葉之說蓋本於此又東壁引金樓子云南向者為橄欖東向者為木威此亦傳聞謬說也是不識葴器本於南越志耳今正之

沒離梨拾遺

按證類拾遺沒離梨味辛平無毒主上氣下食主西南諸国似毗梨勒上有毛少許海藥云微温主消食澀腸下気及上氣咳嗽並宜入面藥綱目目録載諸

毗梨勒之次而脫此條今補之

大腹子宋開宝

按證類舊標大腹雖無子字開寶所說非大腹皮主療及謂其子耳今東壁別補大腹子氣味辛澀溫無毒及與檳榔同功之說者恐非也且以開宝大明之說爲大腹皮主療者亦誤矣證類原文無用其皮之說則稱大腹者非其皮可以證焉及考古方書用大腹子殊多矣凡本草不可不載之東壁以開寶大明之說爲大腹皮主療者蓋本於圖經并皮收之之言然其說兼用皮子而非若後世方書不用其子單用

其皮耳今證類載皮修治而缺主療者因其所用有古今不同而已東壁以開寶大明之説爲皮主療者固不可信矣凡物皮核異其用豈皮子同功哉今附本草蒙筌大腹皮主療而備考

本草蒙筌曰裹外粗殼名大腹皮先浸醇酒後洗豆湯下陽氣佳消浮腫尤捷

桄榔子宋開寶

證類蔵器曰桄榔木作鈸鋤利如鐵中石更利惟中蕉根破之物之相伏如此耳臨海異物志其文亦同矣今東壁引之改作中濕更利惟中焦則易敗尓者

可謂誤矣若東壁所引則豈有相伏之理乎可哂

枳椇唐本艸

按拾遺有一種木蜜與枳椇一名木蜜二物東壁以為重出而併入於此條者不考之失也藏器亦恐有同物之疑故曰今人呼白石木蜜子名枳椇味甘本經木蜜非此則明木蜜與枳椇為别種耳本經猶言拾遺非神農本經又引古今注以决具疑矣東壁誤為一物且從己意省略相誤令人難解今附原文而備考

拾遺木蜜味甘平無毒止渴除煩潤五藏利大小便

去膈上熱功用如蜜樹生南方枝葉俱可噉亦煎食如飴今人呼白石木蜜子名枳椇味甛本經云木蜜非此句中汁如蜜也古今註云木蜜生南方合體皆甛嫩枝及葉皆可生噉味如蜜解悶止渴其老枝及根幹堅不可食細破煑之煎以爲蜜味倍甛濃

## 崖椒 圖經

按圖經曰四季採皮入藥然則崖椒用木皮非其實今東壁於氣味上補椒紅二字誤矣

## 蔓椒 本經

按主治嵗畧根主痔之說證類作梂子根濃煎浸痔

有驗燒朱胇亦主痔病則梂子根主療而非蔓椒根宜附諸山樝條而附於此條者誤矣東壁以梂子為山樝云山樝世俗皆作查字誤矣机子即山樝也世俗作梂字亦誤矣樝机之名見於尒雅自晉宋以來不知其原但用查梂字耳然則蔵器所謂梂子當是當作梂子諸椒之通称非獨蔓椒也如此則可謂其山樝必矣又此條陶注云蔓椒俗呼為樛子東壁云說自相矛楯者不可不辨也

吴茱萸本經

蘓頌曰或云顆粒小經之色青緑者是吴茱萸顆粒

大經久黃黑者是食茱萸此開寶今按之文而蘇頌引之於食茱萸條東壁附會於此且補之以恐亦不然四字大反蘇頌之意矣當削今正之又按東壁云吳食二茱萸乃一物而別以欓子爲食茱萸具辨見於食茱萸條今此條主治藏器之說證類出於食茱萸條作殺鬼魅及惡蟲毒起陽殺牙齒蟲痛則非吳茱萸主療而東壁移入於此條者本於藏器所謂吳茱萸以吳地爲好別録生宛句宛句非吳地以此爲食者耳此說雖以吳地宛句所産分吳食二茱萸元爲一物也又按證類藥性論云食茱萸治冷痺腰脚

軟弱遍身刺痛腸風痔疾殺腸中三蟲去虛冷吴茱
萸主心腹疾積冷心下結氣疰心痛治霍乱轉筋胃
中冷氣吐瀉腹痛不可勝忍者遍身痛痺冷食不消
利大腸擁氣二茱萸主療載之各條今東壁合而為
吴茱萸主療者亦本於蔵器之說又氣味下引思邈
之說按之千金方即食茱萸而功用與吴茱萸相同
則知吴食二茱萸非別種耳東壁亦以甄權蔵器食
茱萸主療併入於此條而別以欓子為食茱萸其說
本於通志然不可謂茱萸非食茱萸茱萸堪食非若
山茱萸不堪入食故呼為食茱萸而今本草称食茱

萸者古今異其物因茱萸欓子俱有食茱萸之名讀者宣察

食茱萸唐本草

按東壁以欓子爲食茱萸而此條氣味辛苦大熱無毒畏紫石英及主治蘓恭孟詵之說即蔵器藥性論等所謂食茱萸而非欓子東壁不移入諸前條而從證類附於此條則與其駁蘓恭孟詵之誤者自相反矣詳見於前條

茗唐本草

按集解主治俱引神農食經今校之證類及綱目序

例引用書目中亦無神農食経而陸氏引之曰茶茗
久服人有力悦志東壁引食経全本於此然其所引
有出於胸臆其意欺後世耳知所以然者今考集解
所載食経文與別錄云苦菜生益州山谷山陵道傍
凌冬不死三月三日採陰乾全相同而其文所異於
別錄者苦菜作茶茗而削川谷并陰乾之陰字耳弘
景曰苦菜疑此即今茗東壁亦兼此謬以苦菜為茗
故此條引別錄而借名於食経又主治引食経瘻瘡
利小便去痰熱止渴令人少睡即唐本草茗主療而
非食経文唯有力悦志四字出於神農食經東壁合

而成文其餘所引皆出於別録唐本草而以為食經文從其所誤託諸食經耳又按證類唐本草茗與茶㮤分別其主療今東壁以茗主療合於神農食經以苦㮤主療為蘓恭之説遂至使無茗苦㮤之別嗚呼東壁違背舊義且欺後世者不可不辨也

## 甜瓜 宋嘉祐

瓜蔕主治好古得麝香細辛治鼻不聞香臭東壁載之非原文今按湯液本草作麝香細辛同為使句治久不聞香臭仲景鈐方瓜蔕一十四箇丁香一箇黍米四十九粒為末含水搐一字取下與東壁所載異

矣今得麝香細辛五字宜作麝香細辛爲之使元非主療文久不聞香臭之句若東壁屬上文讀則仲景鈐方所説將治何病乎又附方治鼻中瘜肉引鈐方則主所載誤者不辨而可知也

蓮藕 本經

按藕蔤主治穌頌生食主霍乱後虛渇煩悶不能食解酒食毒證類作藕生食其莖主霍乱後虛渇云云即莖主療而非藕蔤東壁削其莖二字誤矣且蔤乃莖下白蒻在泥中者而非莖之類耳又藕絲菜解煩毒下瘀血出於東垣食物本草云藕絲菜即今鷄頭

子莖則可見非藕蘂也東壁謬而附會於此者因藕絲之名耳今凡綱目引汪穎食物本草皆正諸東垣食物本草其說見於考例

芡實本經

按證類陳士良云軟根名葰菜主小腹結氣痛宜食之日華子云根可作蔬菜食今東壁以莖呼爲葰菜者戾於士良之言矣然其莖亦可食圖經云莖莢之嫩者人採以爲菜茹又東垣食物本草云藕絲菜味甘澀性寒解熱渴煩毒下瘀血即今鷄頭子莖則知根莖異其名俱可作蔬菜今附而備考

烏芋別錄

別錄曰烏芋一名藉姑二月生葉如芊三月三日採根暴乾東壁謂烏芋即凫茨非藉姑藉姑即慈姑別錄誤以藉姑爲烏芋因於別錄文中取藉姑三月三日採暴乾十字附會於慈姑條然別錄所說主療不移入於恶慈姑條而存於此條則亦自相矛楯又以凫茨爲烏芋者本於圖經所謂烏芋今凫茈也而所載凫茈形狀出於爾雅芍爲凫茈之註然尔雅註元無烏芊同物之說則疑似別種矣蘇頌所說亦不必以爲確論宜從別錄所說而無謂藉姑非烏芋今以凫茈

爲烏芋亦即蘋頌之説本於弘景註呼爲鳧茈恐此
也然弘景註有不可據者若藉姑生水田葉有椏伏
如澤瀉不正似芋之説可謂誤矣烏芋用其根而不
用其葉故別録如芋謂其根伏而非謂其葉弘景一
誤千載兼其弊遂以鳧茨爲烏芋以藉姑爲慈姑皆
誤矣廣雅曰藉姑水芋烏芋則可見藉姑非別種耳

筴蔈 同茈

附録諸果

木部

桂 別録 牡桂 本經

按證類以桂牡桂爲二條元一類二種今東壁併爲一而以桂與桂心爲二種者誤矣桂心即桂而謂之桂心者以皮極厚廣虚肉少而其味不辛者半之不如牡桂偏廣殊薄其功用亦不全是以用之者削去甲錯廣皮取其肉味辛烈名曰桂心後世稱肉桂亦同其意耳且藥性論日華子俱有桂心主療而不别論桂之功則可見桂與桂心非二物矣又王好古曰不用皮與裏正用其身中者爲桂心此説誤矣蔵器曰桂心即是削除皮上甲錯取其近裏辛而有味然則非身中也王氏謬而以燈心之心解桂心遂削去

内外皮者可謂傳其誤矣去下脱可留之辛味大戾於古人之意也東壁亦以爲去十九字

辛夷本經

別録曰九月採實暴乾唐本註曰實臭不任藥也方云去毛用其心然難得而滋人面此用花開者易得而且香也諸家從此説皆用花未開時收之或云用花蘂縮者良已開者劣或云已開者功謝者不佳而後世無用其實者東壁亦無古今所用花實不同之辨而以苞字冠於修治則知以爲不用其實者凡藥物以氣臭爲不任其用則豈唯辛夷而已乎及本經別録之意附而俟校正

**鈎樟** 別錄

按綱目併入拾遺枕杖而脱其主療今補於此拾遺曰枕杖味辛小温無毒主咳嗽痰飲積聚脹滿鬼氣疰忤煮汁服之亦可作浴湯浸脚氣及小兒瘡疥

**欀香** 綱目

按香譜曰欀香即杜衡也今東壁所説非杜衡而形狀大異矣未知何所據也又引楞嚴經云一名兜蔞婆香而於霍香條亦引此經云一名兜蔞婆香一兜蔞婆香或以爲欀香或以爲藿香東壁不可信之矣

**駃騠竭** 唐本草

證類唐本草曰紫鉚騏驎竭味甘鹹平有小毒主五
臟邪氣帶下止痛破積血金瘡生肉與騏驎竭二物
大同小異俊按紫鉚騏驎竭非二物連称者與騏驎
竭二物大同小異之文可以證矣諸家註唯称紫鉚
皆就簡耳讀者誤以為紫鉚與騏驎竭同其功故合
而論之者則至大同小異不可知唐本草所說為何
物主療也東壁以唐本草所說為紫鉚主療出諸蟲
部者可也別種騏驎竭證類附於紫鉚條東壁本於
別本註二物切効全別之說分為二條其註載騏驎
竭之功曰味鹹平無毒主心腹卒痛止金瘡血生肌

肉除邪東壁載諸此條且補之以去五臟邪氣止痛
破積血十字者出於唐本草紫鉚騏驎竭主療而主
治所載元別本註之言而借名於唐本草者亦本於
此今東壁分別二物而此條主治合二物之功則知
有同功之疑耳讀者宜考證類

椿樗唐本草

按白皮及根皮主治大明止女子血崩産後血不止
赤帯腸風瀉血不住腸滑瀉縮小便蜜炙用此非全
文東壁合藥性論食療之說而成文凡此條所載之
諸說及大明藥性論皆謂樗木之功而特食療所說

女子血崩及産後血不止赤帶椿主療而非樗木皮之功今東壁合而為一則及利濇之功則異之言

漆本經

證類乾漆本經辛温無毒別録有毒後按有毒非別録文東壁削而不載之者是也大凡本經藥品分上中下而不言有毒無毒則豈於此條特有無毒之説乎本經無毒即別録文而有毒乃後人附記之文耳愼微謬為別録文李果有毒之説亦本於此今附而備考

海桐宋開宝

東壁以刺桐爲海桐附會於此條而以爲二物俱有刺者恐非也刺桐證類附於桐葉條元非一物且海桐亦非有刺者開寳云海桐及似梓白皮梓一作桐字梓桐俱無刺則東壁所謂海桐有巨刺之說未知其所據恐誤矣又李珣說中補有刺二字當削去

槐

按槐實主治別録以七月七日取之擣汁銅器盛之日煎令可丸如鼠屎納竅中白上易乃愈又墮胎上十二字證類原文屬於木經子臟急痛下乃治子臟急痛方而非治五痔瘻瘡方大凡別録文皆承經文

而叙其事今東壁分别本經别録各為一説故别録所説不可知為治何病之方是以東壁補治五痔瘻瘡五字然非别録之意具補之本於證類附方治痔瘻及百種瘡方七月七日採之絞取汁納銅器中綿蓋著高門上曝之二七日已上前取鼠糞大内穀道中與别録所説其方全相同矣又李杲主治出於湯液本草而非李杲之言曰槐葉治口齒風疼槐花涼大腸之熱俱非槐實之功矣

合歡本經

證類附方引子母秘録曰打撞損疼痛夜合花末酒

調服二錢匕妙東壁謬而為宗奭之說且附會於木皮主治今正之

蕪荑別錄

按唐本註引尒雅云莁荑一名蔱蘠今名蔱蘠字之誤也東壁從此說而以莁荑為別名曰此物乃莁樹之荑故名此言誤莁荑與尒雅所謂蕪荑別種非一物矣又圖經引尒雅釋木云無姑其實荑郭璞云無姑姑榆也生山中葉圓而厚所謂蕪荑也又釋草云莁荑蔱蘠注云一名白蕡而與本經一名蔱蘠相近蕵荼云蔱蘠蘠蔱字之誤也然莁荑草類蕪荑乃木

也明是二物或氣類之相近欤東壁不載此説今附而備考

枳 別錄

按枳實條元素曰性寒味苦氣厚味薄陰中微陽此説出於湯液本草枳殼條非元素之言也今東壁補浮而升微降五字附會於此誤矣又枳殼條引元素曰氣味升降與枳實同按珍珠囊曰枳殼苦酸陰中微陽枳實苦鹹純陰與東壁所引異矣凡綱目如是類皆出於東壁胸臆不足信矣

枸橘 綱目

樹皮主治中風強直不得屈伸細切一升酒二升浸一宿每日温服半升酒盡再作本出於肘后方而其所用即枳樹皮非枸橘樹皮證類附諸枳殼條東壁為枸橘樹皮而附會於此者非也今正之

山茱萸 本經

按山茱萸去核始於雷公曰核滑精而古今因循遂莫有知其言之乖於舊說者别録曰凡湯中用完物皆擘破用細核物亦打破山茱萸五味子之類是也弘景曰山茱萸乾皮甚薄當以合核為用尓又仲景腎氣圓用山茱萸不去核可以為明證矣通雅曰山

茱萸能補骨髓者取其核温澀飴秘精氣不泄乃所以補骨髓今人或取肉而棄其核大非古人之意如此皆近穿鑿此說足以破雷公之言今證類載雷公之說固不可信者殊多矣蘓頌亦言炮炙論非完書而不辨去核之誤今正之孟子所謂盡信書則不如無書矣此之謂也

胡頽子拾遺

根主治煎湯洗悪瘡疥并犬馬瘑瘡按證類即木半夏根皮之功而非胡頽子根又蔵器曰胡頽子莖及葉煮汁飼狗主瘑綱目脫之今此主療與木半夏相

近故以木半夏附於此元非一物矣

郁李<sub>經本</sub>

釈名薁李雀梅棠棣三名俱出於詩疏今按陸璣詩疏云唐棣奧李也一名雀梅亦曰車下李所在山中皆有其花或白或赤六月中成實大如李可食而綱目引之改唐棣作棠棣者本於尒雅云棠棣註云今関西有棣樹子如櫻桃可食又別録云郁李一名棣�尒雅所謂棠棣即一物而異於唐棣奧李又以奧李改作薁李本於毛詩食鬱及薁疏云鬱其樹高五六尺其實大如李色赤食之甘張揖亦以為郁李雖

然陸璣所謂唐棣棠棣欝即一物一種也爾雅唐棣

江東呼夫移非郁李又上林賦云隱夫欝李即欝也

文選或作隱夫薁棣東壁補一名而缺其辨今贅之

枸骨 綱目

按證類蔵畧引詩疏曰本杞其樹似栗一名枸骨理

白滑與今行詩疏大異其文而圖經所引者與今行

詩疏相同則似蔵畧所引誤故東壁引諸綱目從今

行詩疏而改易其文又補詩云南山有枸是也八字

然枸即枳枸非枸骨因考詩疏南山有枸與南山有

杞其疏爲一條蓋似今行詩疏誤脫南山有杞者且

有脱文何則其疏中不分別枸骨枳骨而為一物璣豈如是誤或近得吳元化草木攷杞枸分而為一條則陸璣亦以為二物曉然也元化之意實與予符合矣則藏器所引不可以為誤耳蘓頌東壁不知詩疏有脘簡謬而引南山有枸遂為懸隔耳又據木皮作粘稿之說亦錯簡宜附於冬青條

枸杞 本經

苗主治甄權益陽事又地骨皮主治益精氣俱枸杞根之功而非苗及地骨皮證類藥性論云根皮細剉麪拌熟煮吞之主治腎家風良又益精氣法取葉上

蜚寔子暴乾爲末入乾地黄中爲丸益陽事可以證
其誤矣湯液本草引藥性論以益精氣爲地骨皮之
功東壁亦兼其誤矣又食療云葉煮汁飲之益陽事
地骨皮益精氣東壁雖本於此然非甄權之意且其
說疑似有脱文俟校正

紫荆宋開寳

按證類拾遺紫珠一名紫荆樹似黄荆葉小無椏非
田氏之荆也至秋子熟正紫圖如小珠生江東林澤
間圖經引此說而以爲田氏之荆則反蔵器之意且
紫荆紫珠本二物而所引無分别今附而備考

木槿 日華

按綱目冠氣味上以皮并根三字東壁補之未知其所攄也衍義曰花與枝両用則非根皮可以證矣

伏牛花 宋開寶

校正併入圖經虎刺今按證類無虎刺而東壁所引虎刺形狀至療與雜草類中刺虎形狀主療全相同則可見虎刺與刺虎非別種矣東壁以是併入於此者以伏牛花有陽虎刺花之名故顛倒刺虎而重出於此耳一則以為草一則以為木欺人甚哉根葉枝主治一切腫痛風疾細剉焙研每服一錢匕用温酒

謂下即刺虎根葉枝之功而非伏牛花當削去

木天蓼唐本草

東壁引陸璣云木蓼為燭明如胡麻今按詩疏樹之榛栗疏云其一種枝葉如木蓼作胡挑味山有榛之榛枝葉似栗樹枝莖可以為燭此疏但有木蓼字而無所引之文則似東壁謬而混之或所引書名誤耶

俟校正

楓栁唐本草

證類陳藏器曰性澀止水痢蘇云下水腫水腫非澀藥所療蘇為誤耳又云有毒轉明其謬水煎止下痢

為最此說非謂楓柳故在於楓香脂條愼微謬而重出於此條東壁亦承其謬而集解中引藏器曰楓柳皮即今楓樹皮大戾於藏器之意矣楓柙唐本草主治風齲齒痛無下水腫之說則藏器所駁非此物可見也今東壁以藏器為誤矣不考之失也

柵木皮

按柵木皮之柵東壁改作枏字既併入於楠木條又重出於此則知以柵木為一種木且於楠木條改柵作枏杜撰可見也

本草綱目鈞衡卷之上 終

849
30

# 本草綱目鈎衡卷之四

江都　向英俊　元秀著

## 服器部

**帛**拾遺

主治好古主墜馬及一切筋骨損傷今按湯液本草即炊單布主療而非帛之功綱目重出於炊單布條者是則此條所引當削去

**靈牀下鞋**拾遺

證類缺主療綱目亦以靈牀下鞋為一條而不載主療曰原缺今按朝鮮本證類靈牀下鞋主脚氣附而

備考

尿桶 綱目

按醫說曰頃有一人指縫中因搔癢遂成瘡有一小竅血濺出不止用止血藥及血竭之類亦無效數日遂不起後有一人於耳後髮際搔癢亦有一小竅出血與前相似人亦無識者適有一道人言此名髮泉但用多年糞桶箍曬乾燒灰傅之當愈果如其言使前指縫血出遇此亦必愈今此條舊箍主治脚縫搔痒或瘡有竅出血不止之說本於此然乖於張杲之意矣宜作耳後髮際搔癢成瘡有小竅出血不止今

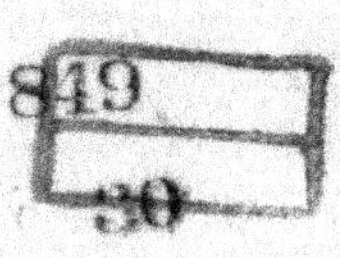

正之

蟲部

螳螂桑螵蛸本經

別録一名致神今按證類無此別名而吴氏本草曰一名蝕肬一名害焦一名致句神農鹹無毒柬壁之補水於此然一名致而神字屬下文則今以致神為一名者誤矣且非出別録宜作吴普又按一名致未曉其名義宜從爾雅作蟀疑傳寫誤矣俟校正

雀甕本經

集解藏器曰云云陶言其生卵如雞子誤矣按此十

字東壁傳會非原文證類作豈有蚝蟲卵如雀卵大
也又云蚝蟲大小如蠶安有卵如雀卵哉然則𧍛蟴
所說以正唐本註所謂大者如雀卵之誤而非駁弘
景之說者也今東壁以弘景所說為誤而混諸𧍛蟴
說中是以自己之說託於𧍛蟴而利𧍛蟴之所非者
大及於舊義且弘景所說其形狀而非謂如鷄子大
者曰生卵形如鷄子大如也豆即可見耳東壁謬以
為謂其大小者鹵莽甚矣又圖經曰舊說以蠶為蟲
卵非也此文不可不載今綱目缺之者非也

蠶 本經

按綱目以蓾鹵汁併入於此而主治及蔵畧之說與舊文異矣今載證類原文於此且辨之證類蓾鹵汁條云主百蟲入肉䘌蝕瘙疥及牛馬蟲瘡山蜍山蛭入肉蚊子諸蟲咬毒塩蓾甕下收之以竹筒盛鹵浸瘡山行亦可預帶一筒取一蛭置中兼持一片乾海苔則辟諸蛭蘓恭註本經蛭條云山人自有療法豈非此乎亦可為湯浴小兒去瘡疥此汁是蓾中蛹汁故能殺蟲非為鹵鹹也俊秀以竹筒盛鹵浸瘡或取一蛭置筒中或持乾海苔皆辟諸蛭治療之法蓋此三者以其效相類附於此耳自塩蓾甕下收之至療法

豈非此乎非謂鹵汁之功者也亦可爲湯浴小兒去
瘡疥即謂鹵汁之功故有此汁是鹵中蛹汁非爲鹵
鹹之文且此條載鹵汁鹵汁之功而不專於鹵汁亦
可見耳證類此例殊多矣東壁不辨之是以原文塩
鹵甕下收之句不可解今綱目引之改作鹵鹵汁此
是鹵中蛹汁可謂誤矣非鹹鹵於鹵甕下收之者其
謬因不識此條載鹵鹵二汁之功耳今塩鹵甕下收
之之鹵字當作鹵疑傳寫誤矣即竹筒盛鹵之鹵可
以證矣且持一片乾海苔者亦取其鹹味則可見鹵
非鹵汁也又證類以鹵鹵汁爲標題者因鹵鹵同功

鹵即鹵鹹之鹵字與繭別種而綱目併入諸蠶條不考之失也又煮繭汁一名繰絲湯東壁附諸蠶條別立一條者不知繰絲湯爲繭汁可謂誤矣嘉祐新補云繰絲湯無毒主蛔蟲熱取一盞服之此煮繭汁爲其殺蟲故也綱目不載此說亦誤矣今附而備考

班蝥 本經

按證類盤蝥蟲有小毒主傳尸鬼疰如夜行蟲而小亦未可輕用也綱目以盤蝥蟲併入於此條而不載其說今補之又集解東壁引太平御覽所引神農本草經曰春食芫花爲芫青夏食葛花爲葛上亭長秋

食豆花為班蝥冬入地中為地膽黑頭赤尾今校之
作本草經曰元青春食芫花故云元青秋為地膽地
膽黑頭赤尾味辛有毒主蟲毒凡注秋食葛葉故名之
為葛上亭長與東壁所引異矣是以葛上亭長為地
膽別名而無冬夏之別且葛六七月著花則謂秋亦
可也附而備考

蟻 綱目

東壁引五行記曰有赤蟻與黑蟻鬥長六十步廣四
寸赤蟻斷頭死則離騷所謂南方赤蟻若象者非寓
言也此說誤矣今按古今五行記曰後魏大安元年

六月兖州有黑蟻與赤蟻交鬬長六十步廣四寸赤蟻斷頭而死黑主北赤主南時齊明帝殺少帝之子業而自立為魏軍所破此謂二蟻為隊長六十步廣四寸非謂其大形也而東壁引楚辞證之可哂

蚱蟬本經

蔎明藏器之說非謂蚱蟬之功者按證類藏器曰本經螻姑一名蟪姑本功外其腦煮汁服主産後胞衣不出自有正傳然蟪姑非螻姑二物名字參錯耳此說證類雖附諸蚱蟬條明非謂蚱蟬物也此條陶註引莊子以蟪姑為蚱蟬又螻姑一名蟪姑二物相乱

故有螅姑非螻姑之文又曰自有正傳是謂别有螻姑條耳今東壁以本功外具腦煮汁服之主産後胞衣不下自有正傳之文附於此者其誤可見矣

行夜 别録

拾遺負蠜綱目併入於蜚蠊條而此條亦曰併入拾遺負盤證類元出一條而東壁分附諸二條今此條亦不載其全文唯引蘋恭所謂也人亶負蠜是也十一字以為併入負盤者誤矣證類負蠜條曰蘋恭云戎人亶薫渠猶已人亶負蠜按蜚蠊一名負盤蜀人食之辛辣也已出本經左傳云蜚不為災杜註云蜚

負蠜也如蝗蟲又行夜一名負盤即竊盤蟲也名字及蟲相似終非一物也就此考之東壁所引者蜚蠊而非行夜今正之

蟲螽拾遺

按證類藏器曰蚱蜢形長小而股如石蟹在草頭飴飛蟲螽之類無別功與蚯引交在土中得之堪為媚藥綱目以蚱蜢併入於此條而缺其說今補之

蟾蜍別錄

陳藏器曰蝦蟇蟾蜍二物各別陶氏將蟾蜍功狀註蝦蟇條中遂使混然采取無別蝦蟇在陂澤間舉動

極急本經書功即此也蟾蜍行動遲緩在人家湯處
又蘓頌引爾雅註曰蟾蜍似蝦蟇居陸地是非一物
明矣陶隱居所謂能解大毒及温病班生生食之並
用蟾蜍也本經主邪氣破堅血之類皆用蝦蟇二物
雖一類而功用小别亦當分别而用之東壁從陳藏
二氏之說於蝦蟇條分出别錄文而新立此條俊按
别錄曰蝦蟇一名蟾蜍生江胡池沢五月五日取陰
乾東行者良池沢猶言陂澤然則别錄所謂一名蟾
蜍即蝦蟇而非陳藏所謂蟾蜍在人家濕處或居陸
地者也又别錄註云此是腹大皮上多痱磊腹大二

字似蟾蜍所以有蔵器非蝦蟇之説然反於生池沢之言且本文所説不可誣矣陶氏作別録元有所據而非弘景之言故有其所據文字誤而不可解者自註記疑惑則可見陶氏不誣古言也陳蘓二氏以多痱磊為蟾蜍亦恐誤矣今蝦蟇亦有痱磊則不可以其多少分別二物也蔵器以別録所説為蟾蜍者知因一名蟾蜍文而未考其謂生江湖池澤者耳蘓頌不辨之東壁亦傳其誤而曰蟾蜍蝦蟇當審用之不可因名迷實是不知自所誤而為得其正者不可不辨也

蝸牛 別錄

按證類蛞蝓條弘景曰其附蝸者復名蝸牛生池澤沙石則應是今山蝸或當言其頭形猶似蝸牛虫者俗名蝸牛者作瓜字則蝸字亦音瓜莊子所謂戰於蝸牛也東壁引諸釋名條改其文作蝸牛山蝸也形似瓜字有角如牛故名莊子所謂戰於蝸牛是矣今證類無形似瓜字有角如牛之文而圖經引弘景註曰俗名蝸牛者瓜作字形故蝸字亦音瓜東壁本於此補形似瓜字四字者可謂誤矣形故二字原文作則字則蘇頌所引元傳寫誤耳東壁傳其誤且未考

其原文而曰其頭偏戾如咼其形盤旋如渦故有喎
渦二音不獨如瓜字而已此言可哂

風驢肚内蟲綱目

按太平聖惠方作着風烏驢大肚内蟲東壁以為病
風驢腸肚内蟲誤矣凡乾物皆著於風處謂之風乃
若鰻魚乾着名風鰻之類東壁不解著字謬以為病
風耳今正之

鱗部

帇拾遺

按陳藏器引廣州記曰予蛇頭鼈身東壁改作帇蛇

頭龜身而曰吊字似吊龜字似鼈傳寫訛誤陳氏遂

兼其誤耳吊旣龍種豈有鼈身其誤可知今校廣州

記作吊蛇頭鼉身而鼉似蜥蜴守宮輩長一二丈能

吐氣成雲致雨旣是龍種則可見吊身不似龜鼈作

鼉鼉春是也今綱目作蛇頭龜身亦知傳寫相誤矣

鯉 本經

證類魚鯉魚鮓主療之文而綱目引藏器曰鯉鮓殺

蟲 俊 考殺蟲二字出於拾遺鮓條元非鯉魚鮓主療

之文也其條曰凡鮓皆發瘡疥可合殺蟲瘡藥用之

凡字可見耳東壁竊取殺蟲二字以爲鯉鮓之功且

當載藏器之說於鮓條而不載之者亦誤矣

白魚 宋開寶

按證類日華子曰患瘡癤人不可食堪發膿灸瘡不發作鱠食之良東壁附諸主治而顛倒原文且改不可食作食之者誤矣宜從原文附於發明又東垣食物本草曰患瘡癤者食之發膿唯唯灸瘡食之不發是亦本於日華子而所以誤也此物發膿豈分瘡癤與灸瘡乎子慮一失吾為東垣不取矣附而備考

鰣魚 食療

按綱目凡例有集解統出産形狀採取則不可別有

出産之目而此條特有出産盖初稿所存而後芟除者已東壁作綱目稿凡三易而有如此者則知綱目為未按讐之書今附而辨之

鱖魚宋寶閲

東壁引張杲醫說曰鱖魚羹治勞瘵今按醫說云越州鏡湖郡長者女十八染瘵疾累年刺灸無不求治醫亦不效有漁人趙十煮鰻羹與食食覺内熱之病皆無矣今醫家所用鰻煮乃此意東壁改鰻作鱖而附於此鰻即鰻鱺魚非鱖魚今正之

鱠残魚食鑑

食鑑本草舊標銀條魚而無鱠残魚王餘魚銀魚之名及其形状東壁補之本於爾雅翼
按鱠残魚即今呼為白魚潔白如銀無鱗若已鱠之魚但目有兩黑點則實若東壁所說矣銀條魚甘平無毒且有寬中健胃之功則恐非無鱗魚之類食鑑不載其形状故無按據然似非一物者矣東壁因鱠残魚有銀魚之名以銀條魚而為一物者蓋未考條考字之失也條猶條魚之條其形狹而長若木條非細小之義今改其標且刋銀條魚之名可謂欺後世耳

鱧魚本經

按證類圖經引爾雅及詩疏云據上所說則似今俗
間所謂黑鱧魚者亦至難死形近蛇類淅中人多食
之然本經着鱧魚主温痺下水而黑鱧魚主婦人姙
娠千金方有安胎單用黑鱧湯方而本經不言有此
功用恐是漏落耳東壁曰圖經引毛詩諸註謂鰻即
鯇魚者誤矣今直削去不煩辨正而釋名載黑鱧又
主治載主婦人姙娠有水氣則似自相矛楯且圖經
所謂主婦人姙娠乃謂安治之功東壁補有水氣三
字則與圖經所説異其旨吾讀者宜從證類熟察鱧
魚有細鱗今列諸無鱗魚類亦誤矣

鱓魚 別錄

時珍曰藏器言當作鱣魚誤矣鱣字平聲黃魚也此說誤矣今按證類藏器引顏氏家訓而正其名唐慎微引之省略相誤矣故其義不貫通今就本書考之曰後漢書鸛雀啣三鱓魚多假借為鱣鮪之鱣俗之學士因謂之為鱣魚案魏武四時食制鱣魚大如五斗奩長一丈郭璞云鱣魚長一丈安有鸛雀能勝一者況三類乎孫卿云魚鼈鰌鱣及說苑曰鱣似蛇並作鱣字假鱣為鱓其來久矣東璧未知省略相謬而藏器之誤可謂不考之失矣且鱣魚條藏器引此意

云古書多用鱣魚字為鱏鱣長二三丈則非鱣魚明矣是非藏器之誤足以證矣

鱣魚拾遺

按飲膳正要曰阿兒忽魚大者有三丈長一名鱘魚一名鱏魚生遼陽東北海河東東壁以為鱣魚而以其主療附諸鱣魚主治者恐誤矣此物有鱘鱏二名則當併入於鱘魚條耳又正要有乞黑麻魚大者有五六尺長生遼陽東北海河中東壁以為鱘魚而附會於鱘魚條蓋似二物所附錯其條者又食鑑本草鰉魚亦附於此未知為同物否

鮠魚 拾遺

東壁以鱯魚鮠為鮠魚別名今按證類圖經云鮧魚其類有三鯷魚鱯魚鮠魚鱯魚四季不可食又不可與野猪肉合食令人吐瀉鮠魚與秦人呼為獺魚鮎動疾痼云云此三魚大抵寒而有毒非食品之佳味也然則鱯魚與鮠魚一類二種而東壁以為同物恐非也

烏賊魚 本經

鼎曰久服絶嗣無子東壁謂諸說療無子令人有子張鼎獨背戾必誤矣今按證類作久服之主絶嗣無

子益精則與療無子令人有子豈為異乎主絕嗣猶言療絕嗣東壁未考主字以為令人絕嗣之謂耳且益精之功則何有無子之理乎綱目所引遵原文則不可信也又分食療文而為孟詵張鼎之二説亦杜撰不足信矣又血條主治甄權主耳聾此條及主療文可刋去證類藥性論云烏賊魚骨止婦人漏血主耳聾東壁謬以婦人漏為一句而以漏血之血為烏賊血別立血條也圖經曰腹中血及膽正知墨然則血與腹中墨為同物東壁以為二物各立其條者誤矣

鮀魚別錄

證類禹錫引蜀本圖經曰鮑魚十月後取魚去腸繩穿淡乾之凡魚皆堪食不的取一色也又擾鱁魚條口小背黄腹白者為鮑魚而主療與鱁魚同補益主百病今圖經既不的取一色可淡乾此之為是也今就鱁魚條而考之鮑魚作鮑魚則元非謂鮑魚者耳禹錫不知傳寫相誤而引之不考之失也東壁亦於正誤條引保昇曰鱁魚口小背黄者為鮑魚以為保昇所誤且不載全文故其義不通也如此則削而不載亦可也

諸魚有毒遺拾

拾遺云諸魚有毒者魚目有睫殺人目得開合殺人逆鰓殺人腦中白連珠殺人無鰓殺人二目不同殺人連鱗者殺人白鬐殺人腹下丹字殺人魚師大者有毒殺人矣又陶隱居曰凡魚頭有白色如連珠至脊上者腹中無膽者頭中無鰓者並殺

人於此附綱目載諸目録而脱此條今從證類而補之

介部

水龜本經

龜甲集解弘景曰當以生龜炙取今按證類作當灸生龜溺具療久嗽亦斷瘧然則炙生龜者是取其尿之法而非取龜甲之法與圖經所謂以紙炷火上熁

熱以熨其尻致失尿亦相類矣東壁改灸字作炮炙之炙字以為取龜甲法也誤矣且於龜甲主治附殼主久嗽斷瘧之文亦龜殼主療當移入於溺主治今正之

鶚龜拾遺

證類舊標水龜東壁改作鶚龜未知其所據鶚龜即瘧龜別有係而非此水龜其嘴如鶚鳥故有此名今東壁於原文両目在側傍下附會如鶚鳥亦呼水龜云云文不知何物如鶚乎若以両目在側傍言如鶚則孟浪可笑

馬刀 本經

東壁以蜉蝣爲馬刀別名今按證類弘景曰馬刀大都似今蜉蝣而非也圖經曰蜉蝣亦謂之蚌則蜉蝣非馬刀別名宜附於蚌條又肉同蚌圖經曰食其肉大類蚌謂肉味似蚌而非謂其功相同也又衍義曰馬刀春夏人多食然發風痰性微冷東壁以此不載於此而附會於蚌條亦誤矣今附而正之

海羸 拾遺

甲香主治蠱疰瘻瘡疥癬頭瘡饞瘡甲疽蛇蠍蜂螫

按證類海藥引陳氏云主甲疽瘻瘡蛇蝎蜂螫疥癬

頭瘡哯瘡甲煎口脂用也然則陳氏所説甲煎主療而非甲香且其主療與下條甲煎全𢪏同唯省略異其文耳海藥引之於此條者因其名與甲香畧相類東壁不辨之而從證類附於此以為甲香主療可謂誤矣

## 禽部

鶺雞食物

鶺雞東垣食物本草作蒼鵝且無麦雞之名東壁引羅願曰南人呼為鶺雞江人呼為麦雞今考爾雅翼無此文則疑出於他書且麦雞非蒼鵝食物本草別

有麦鷄條則知為別物耳今附麦鷄原文於下而證之又一名鶬鴰出於爾雅翼云鶬句鴰也東壁合二名為一名且為出於爾雅可謂誣矣又羅願引解楚辞者曰鶬鸖也玄鶬長足群飛天之將霜先知之而鳴不過旬日而下霜矣猶鸖之警露食物本草曰蒼鷄狀如鸖而毛羽蒼色倶所說形狀非鷄屬也蒼鷄宜作鶬鸖爾雅翼亦無蒼鸖之名則似食物本草傳寫誤者附而備考東垣食物本草曰麦鷄味甘温補

鷺食物

虚益脾

東壁引禽經曰鸛飛則霜鷺飛則露今按禽經作霜
蜚則霜露翥則露註云鶮鸛飛則隕霜也露禽鶴也
露下則鶴鳴與東壁所引異矣今改露作鷺而以為
釋其各者恐非矣禽經張華所註雖不可信亦不可
誣也

鷗食物

鷗氣味及主治綱目缺之今從東垣食物本草而補
其缺於下凡綱目稱食物本草即汪穎所著而今補
其缺從東垣食物本草者其辨見於旁例
東垣食物本草曰鷗味甘寒無毒主燥渴狂邪諸病

宜五味醃炙食之有効

鷄 本經

證類藥性論曰鷄子液味甘微寒無毒治目赤痛黄和常山末為丸竹葉煎湯下治久瘧不瘥治漆瘡塗之醋煮治産後虚及痢治小兒發熱煎服主痢除煩熱鍊之主嘔逆東壁附諸卵黄條者誤矣 俊秀雞子液味甘微寒無毒治目赤痛之句即謂卵白汁之功與別錄卵白汁主療相同矣黄和常山末為丸竹葉煎湯下治久瘧不瘥即卵黄主療而其餘所説與前條鷄子主治亦相同則可見非卵黄耳東壁不辨之

而以全文附於卵黄主治者不考之失也且藥性論所謂鷄子液猶言鷄卵是以所説混黄白之功耳黄白皆汁故以液爲兼二汁之號東壁以液爲卵黄誤矣黄豈特爲液乎又孫真人以别録鷄子主療爲卵黄之功者因别録别有卵白汁主療遂以爲别黄白之功者恐非也附而辨之又蜀本註曰凡鷄子及卵白等以黄雌産者良膽心肝腸肪肶胵及糞等以烏雄爲良頭以丹雄爲良翮以烏雄爲良與東壁於各條所注頗異矣附而備考

鷩雉拾遺

按埤雅鷩雉一名山鷄與鸐雉同其別名而東壁引禽經載山鷄之名不知禽經所謂山鷄即鸐雉而非鷩雉又吐綬鳥一名錦鷄東壁附録於此條而鷩雉主治汪頴食之令人聡慧之文全出於東垣食物本草即錦鷄主療而東壁附會諸鷩雉則可見鷩雉錦鷄為同物耳而又以吐綬鳥為一類而非同物者誤矣今附食物原文而備考

東垣食物本草曰錦鷄味甘酸有小毒食之令人聡明益容色形狀略似雄雉毛羽皆作圓班尾倍長嗉有肉綬晴則舒於外人謂之吐錦又謂吐綬鳥

白鷳圖經

爾雅曰鵫雉鵫雉鵫音汗鵫下罩切註曰今白鵫也江東呼白鵫亦名白雉東壁載白鵫之名李於此又引汪氏云即白雉也今按東垣食物本草云或疑即白雉也是非謂白鷳即白鵫者或疑二字可見也東壁以白鷳為白雉恐非也

竹鷄拾遺

按證類舊標山菌子無竹鷄之名東垣食物本草云竹雞其聲餂辟木中蠹又名山鷄味甘平無毒解野鷄毒殺腹中諸蟲煮炙食之又解山菌毒此氣味主

治與蔵器所謂山菌子全相同而無山菌子之名東壁從食物本草改山菌子作竹鷄者以其同功爲一物耳然元無同物之説而引汪頴曰山菌子即竹鷄此非原文出於東壁手中可謂欺人也

伏翼本經

按證類伏翼條唐本註引李氏本草曰即天鼠也又云西平山中別有天鼠十一月十二月取主女人生子餘疾帶下病無子然則天鼠二種而生西平山中者非伏翼東壁所謂吐番有天鼠別是一種蓋此物也今以其物爲別種而以其功載諸伏翼主治則自

相矛楯且二物之功錯乱不可不辨也

桑扈食物

按一名青雀出於爾雅註具疏云桑扈一名竊脂諸儒皆謂盜脂肉即如竊玄竊黄者豈復盜竊玄黄乎竊即古之淺字但此鳥其色不純竊玄淺黑也竊黄淺黄也竊藍竊丹四色皆具則竊脂爲淺白者也春秋九扈是也别有一種青雀好竊脂肉目驗而然交交桑扈是也如此跡則二桑扈倶有竊脂之名而其名義不同矣今考東垣食物本草曰桑扈不粟食喜盜膏脂而食之所以於人有補則知跡所謂交交桑扈

者而非九扈之桑扈也東壁本於爾雅疏而以竊為淺色且駁竊脂肉之説是以食物桑扈為九扈之桑扈可謂誤矣又曰扈類有九種皆分喙色非謂毛色此言與爾雅疏異矣然非無所據耳桑扈一名青雀食物本草作青嘴東壁本於此而以喙色別其品然青嘴則不合於九扈之竊脂其色淡白故改青嘴作蠟嘴准而强合於竊脂淺白是不辨二物同名合而為一物故戾於爾雅疏及食物本草之説今正之

獸部

豕 經本

按脂膏主治胎産衣不下以酒多服佳證類作猪苓酒隨多少服主産難衣不出猪屎一名猪零與木部猪苓同名而藥對所用未知為何物然非脂膏明矣又鼻唇主治上唇治凍瘡痛痒下金方作猪肺微寒無毒主凍瘡痛癢東璧謬而附會於鼻唇條非思邈意也宜出於肺條今正之又母豬乳主治按證類作乳汁主小兒驚癇乳頭亦主小兒驚癇及鬼毒去來寒熱五癃東璧引之削乳頭亦主小兒驚癇八字而於五癃下補綿蘸吮之四字是以乳頭之功合於乳汁主療亦誤矣乳頭即乳房上乳出處而非乳汁宜

從證類立一條也

羊本經

按頭蹄當作頭肉具主治所載日華子孟詵蘇恭之說皆羊頭主療而非蹄肉也東壁補蹄字而為二物同功者蓋本於千金方云蹄肉平主丈夫五勞七傷與孟詵所說頭主療畧相類耳然千金方別有頭肉主療則合而為一條者誤矣又療腎虛精竭出於食醫心鏡非頭肉之功當附於羊腎條又骨證類無脊脛之別通稱骨而東壁以別條所說為脊骨之功以孟詵之說為脛骨主療未知其所據恐杜撰不可信

也

牛本經

綱目載牛肉二種曰水牛肉曰黄牛肉而具主治各引別録今按證類別録曰牛肉味甘平無毒主消渴止吐泄安中益氣養脾胃自死者不良而無黄牛水牛之別但言牛而已東壁以前録原文爲水牛肉氣味主療而於別録文中取安中益氣養脾胃七字新作黄牛肉主治文及補氣味甘温無毒别立一條此非證類原文而成於東壁手中矣今立黄牛水牛二條者盖似因別録於牛條有水牛角黄犍牛烏牯牛

溺而肉亦為不可無水牛黄牛之别者是不知别録
載角溺之功所以别於他牛之義故誤矣别録以水
牛角附於此從同類耳知其功亦勝於他牛角若黄
犍牛牯牛溺亦然矣别具功最良猶用馬莖特取白
馬莖又角䚡腦髓五藏之類本經别録但言牛而諸
家載其功各别具牛品用水牛青牛白牛黑牛犛牛
等但言牛者總諸牛而獨水牛不関於此所以然者
水陸異於産且别録云水牛角療時氣寒熱頭痛之
文原附於本經牛角䚡主療下而别之加水字則本
經牛角䚡亦非水牛可見也又考柬壁之説似謂水牛

非水畜者今按涼刻異物志云水牛育於河中抱朴子云水牛無冬夏常臥水中俱言居水中也鬱林異物志云洌㾊者其實水牛蒼毛豕身角若檐矛衛護其犢與虎鬭東壁所說本於此改洌㾊作刻留牛誤矣水牛一名周留牛而洌㾊謂其㾊處耳然其實水畜猶水獺居水中亦休木上雖水牛洌㾊不可為豫橘之資藏器曰牛有數種南人以水牛為牛北人以黃牛烏牛為牛此說無的據不足以取矣二氏辨其物未詳故贅之且欲分別水黃二牛之功者宜從日華子而辨之東壁以別錄原文為水牛肉主療者不

從經文而索諸佗終傳東垣食物本草之誤耳嗚呼
盡信書則不如無書信然哉又屎主治蘋蒸絞汁治
消渴黄疸脚氣霍乱小便不通證類無霍乱及絞汁
四字而黄疸下有水腫二字與別録屎主療其功略
相類耳而唐本註别有屎主治云主霍乱然則綱目
所載爲屎主療明焉屎尿字相似則知傳寫誤矣東
壁不辨之而合屎主瘡又補絞汁二字今正之

驢唐本草

證類驢屎熬之主熨風腫瘻瘡屎汁主心腹卒痛諸
疰忤屎主癥癖反胃吐不止牙齒痛水毒俊初疑屎

主二字為衍上既言屎主療不當別有此二字後又校朝鮮本屎作尿始解其疑矣今合癥癖及胃云云當附諸溺條東壁兼證類傳寫之誤今正之

酥 別錄

按弘景曰酥出外国牛羊乳所作然則從外国来者不可辨所作何乳今千金方引別錄酥主療以為沙牛白羊酥主療有全本於此然牛羊乳其性本異矣今所作異其乳而主療亦豈為同乎雖別錄所說恐似未盡其義是以思邈新立牛牛酥一條且載自驗之功効而詳牛酥之功實濟世仁人之志哉東壁引

諸綱目改牝牛作犂牛則反思邈之意且犂雖牛屬
大異於牝牛可謂誤矣

諸肉有毒拾遺

按諸魚諸鳥諸肉有毒條皆言飲饌之有毒而已是
以若髭毛象之約雖古人嘗食之非朝夕甘舌之類故
不載於此今東璧從所見而補此條者遂居於大半
又自有所據然馬生角之類非日用食品則亦無所
可犯且燕丹之後未聞有馬生角者其實迂怪之談
而不可信也忽思慧載諸食忌東璧兼而記之可笑
甚哉又言諸心損心諸肝損肝而不言為何物心肝

則何以别於肝補肝心補心且與六畜心條曰治心昏多忘心虚自矛楯可謂誤矣此條東壁所補錯乱舊文讀者宜熟察詳見於校異

獅 綱目

證類蔵器曰師子屎赤黒色燒之去鬼氣服之破宿血殺蟲蘇合香色黄白二物相似而不同師子屎是西国草木皮汁所為胡人將來欲人貴之飾其名爾如此則獅子屎即胡人所作而非真獅子屎猶猪苓一名豭豬屎雖同名大異具種圖經曰師子屎今内帑亦有之則知獅子屎與蘇合香並行於世且此物

出於胡国則不可辨其為何物故因循胡人所誑耳今東壁以藏器所說為眞獅子屎之功附會於此條者誤矣

象 宋閔宝

膽修治雷斆之說證類附諸盧會條而東壁移入於此條誤矣宜從證類知所以然者雷斆以盧會為象膽而不知木滴脂淚而成者故其所說曰勿用雜膽其象膽乾了上有青竹班光膩乃謂象膽耳又曰此物是胡人殺得白象取膽乾入漢中是也綱目削而不載詳見校異是傳聞之言而雷斆引之者以盧會為象膽明白

也且此說證類原文屬於成粉乃和衆藥下則是也二字謂盧會可見也又曰入藥句便和衆藥須先擣成粉乃和衆藥是乃末木脂之法也盧會即木脂而末之猶硍乳香不别硍則粘難末非用象膽之法可知矣凡用膽不可擣成粉是以水化淵研之象膽亦豈異乎用熊膽之法雷斆之說不可移入於此條有明矣雷斆以盧會為真象膽者誤於一名象膽且外國所産不可辨其為何物而終為千載之惑矣東壁亦不考其所說而以為象膽修治之說以錯乱於盧會條者而移附於此條可謂鹵莽今正之

犀 本經

凡獸山海所產未食其肉者鮮矣食之則不可不載其功而此條缺肉主療可謂疎漏耳今從證類而補之食療云肉微温味甘無毒主瘴氣百毒蠱疰邪鬼食之入山林不迷失其路除客熱頭痛及五痔諸血痢若食過多令人煩即取麝香少許和水服之即散藏器曰肉主諸蟲蛇獸咬毒功用劣於角

麂 本經

按證類別錄曰骨安胎下氣殺鬼精物不可近陰令痿久服耐老東壁混諸鹿茸主治而削骨字者因日

華子鹿茸主療殺鬼精安胎下氣之說以骨與茸俱為同功而於不可近陰令痿久服耐老之語缺其考耳又骨主治引孟詵安胎下氣殺鬼精物之服耐老可酒浸服之亦與別錄所說相同而證類無久服奈老四字東壁補之本於別錄骨主療則宜從證類引別錄及引孟詵之說者誤矣骨與茸雖同其功別錄所說頗異矣且捨古而取新固陋可知也

麞 別錄

孟詵曰麞中往往得香如粟子大不能全香日華子曰臍下有香俱不分辨麞麝也東壁曰麞無香有香

者麝也是正二氏之誤矣而骨主治引日華子益精髓悅顔色是非麞骨之功今按證類作骨補虚損益精髓悅顔色臍下有香治一切虚損則知麝骨主療耳且治一切虚損附諸麝香條則骨主療亦當附於麝香條而從證類附於此者與前説自相矛楯不可不審也

貒唐本草

肉主治吳瑞上氣虚乏欬逆勞熱和五味煮食此説非吳瑞之言出於東垣食物本草而勞熱和五味煮食七字作酒和胏之又按證類貒條曰肉胞膏味甘平

無毒主上氣之氣欬逆酒和三合服之日二又主馬肺病蟲顙等病李杲本於此而所引亦從證類原文連爾肉胞膏故似三物同功東壁引諸此條不知為膏主療謬而為肉主療今當附諸膏條矣酒和服之和字可見也東壁作和五味煮食則知不鮮和字且別有肉胞主療足以正其誤矣又釋名豬獾東垣食物本草作獾豬與貒別種元分為一條然其主治竊取孟詵貒主療東壁以為一物附會於此者因貒與豬其功相同耳又圖經引爾雅曰貒一名獾乃是一物然方書論其形差別也而貒與獾別其主療今東

壁以獾主療附諸狗獾條而言蘊頌所註乃狗獾非
猯者恐非也

海獺拾遺

按證類拾遺海獺味鹹無毒主人食魚中毒魚骨傷
人痛不可忍及鯁不下者取皮煮汁服之綱目脫氣
味及主治可謂踈漏矣今從證類補之

膃肭獸宋開寶

主治日華子補中益腎氣暖腰膝云云今按證類作
膃肭獸大熱補中益氣句腎暖腰膝助陽氣破癥結
療驚狂癎疾及心腹疼破宿血是獸與腎別其功東

壁謬而以腎字混於獸主療之文故其所說全無分別且附會諸膃肭臍條者亦誤矣今宜以膃肭獸大熱補中益氣句别為一條耳

## 隱鼠 還拾

按證類隱氣當作鼷鼠與前條鼷鼠同名異物而元無隱鼠之名則標題隱鼠者誤矣隱鼠即前條鼷鼠而非此條鼷鼠今正之

寛政九年丁巳閏七月借添田氏之藏本謄
寫卒功乃讐校一過

本草綱目鈎衡卷之四大尾

849
4
30

海外漢文古醫籍精選叢書·第二輯

# 傷寒論金匱要略藥性辨

(日)大江學　撰

# 内容提要

《傷寒論金匱要略藥性辨》，又名《金匱要略藥性辨》，簡稱《藥性辨》，日本大江學撰，刊於明和四年（一七六七）。此書對《傷寒論》《金匱要略》所載藥物中的二百零八種進行了辨正，其内容主要包括藥物産地、采集、炮製、鑒別、藥性、功效、主治、應用注意等，對經方運用具有重要的臨床指導意義。本書具有濃郁的日本本土特色，是研究當時日本藥材流通與應用的重要文獻資料。

## 一 作者與成書

《傷寒論金匱要略藥性辨》全書分上、中、下三編，今所獲版本僅有中、下兩編，每一編的首葉皆題署「雷門學之泰人著」。書首本有二序、凡例十七條及目録，兩篇序文分別爲明和四年（一七六七）熊耳餘承裕「藥性辨序」與明和三年（一七六六）學之泰人「藥性辨自序」。正文多處出現「泰人按」「泰人曰」字樣，可知此書作者爲學之泰人。日本《國書總目録》著録此書作者爲「大江學（學之泰人）」❶，蓋

❶ （日）國書研究室.國書總目録[M].東京：岩波書店，一九七七：（第四卷）三七三.

「學之泰人」即大江學的字或號，但其人具體生平事迹不詳。

京都大學圖書館所藏刻本的學之泰人自序云：「《傷寒論》所輯方一百一十二，《金匱要略》所輯方二百六十二，除重複得三百三十二方，用藥凡二百一十一種。『本經』以來本草諸書，固雖述其功能，頗復齟齬古人之方意，且其中二三有難詳其性者。是以雖有好方之士，不能以方證相對者施之於人矣，僕竊憾焉。於是碎心刻意數年，謂稍有所得者，因不辟不敏，隨各性一一辨之，而其不詳者引證以明之，其齟齬者論方與證以正之，間復竊附愚按於其下，以便讀者。」需要説明的是，大江學在書首凡例第十七條中明言：「凡論中不稱《神農本經》但稱『本經』者，總是仲景『本經』，即《傷寒論》《金匱要略》之謂也。」故本書所稱之「本經」，非指《神農本草經》，而是指《傷寒論》或《金匱要略》。

由上可知，大江學認爲，在東漢之後成書的諸家本草著作中，雖收録有《傷寒論》《金匱要略》所載之藥，但所述藥物功效主治不能準確反映張仲景的處方原意，且其中部分藥物藥性不明，導致醫家不能將《傷寒論》《金匱要略》中的方劑很好地應用於臨床。於是，大江學經多年留心觀察，將張仲景二書所載藥物逐一辨正，編成《傷寒論金匱要略藥性辨》一書，以便日本醫家能在臨床更好地運用張仲景醫方。

## 二　主要内容

《傷寒論金匱要略藥性辨》全書本有三編，分草木、穀、血氣、金石土、水五類，記述《傷寒論》《金匱要略》所載藥物。爲方便讀者閱覽，各類藥物的編排順序，遵循凡例制定的下列原則：「先《傷寒》後

《金匱》，次第隨方……凡藥品有以類相附者，(新)絳、緋帛附草木後，飴、麴、酒、醋、炊單布附穀後之類是也。」

關於本書記載的藥物數量，書首二序、凡例中均稱《傷寒論》《金匱要略》所載藥物爲二百一十一種，本書各類小標題(如草木類凡一百二十九種、水類凡八種)數字相加爲二百一十三種，正文實際列述藥物二百零八種，依次包括草木類一百二十五種、穀類十六種、血氣類三十八種、金石土類二十一種、水類八種。

據京都大學圖書館收藏的本書刻本，此書上編記載草木類藥物三十五種，依次爲桂枝、芍藥、麻黄、杏仁、甘草、生薑、乾薑、薑汁、薑葉、棗、大黄、附子、葛根、生葛搗汁、半夏、黄芩、黄連、五味子、細辛、蕘花、茯苓、厚朴、人參、术、猪苓、澤瀉、梔子、枳實、栝樓實、栝樓根、柴胡、蜀漆、桃仁、葶藶、甘遂，但本次所獲版本缺失上編。

中編記載草木類藥物九十種，依次爲桔梗、巴豆、貝母、芫花、瓜蒂、瓜瓣、瓜子仁、知母、生地黄、乾地黄、麥門冬、茵陳蒿、吴茱萸、黄蘗、連軺、梓白皮、葱白、薤白、烏梅肉、當歸、蜀椒、椒目、通草、升麻、葳蕤、天門冬、白頭翁、秦皮、商陸、海藻、竹葉、竹茹、薏苡仁、防己、黄芪、烏頭、天雄、百合、苦參、射干、石韋、牡丹根皮、瞿麥、紫葳、菊花、防風、芎藭、獨活、山茱萸、薯蕷、白蘞、酸棗仁、乾漆、紫菀、款冬花、皂莢、澤漆、白前、葦(附莖、根)、甘李根白皮、橘皮、狼牙、大戟、敗蒲席及灰、柏葉、柏實、艾、紫參、訶黎勒、敗醬、王不留行、蒴藋、桑根白皮、葵子、白薇、乾蘇葉、紫蘇子、土瓜根、旋覆花、紅藍花、蛇床子仁、大腹檳榔、鬼臼、菖蒲根、韭根、馬鞭草、冬瓜搗汁、蒜、新絳、緋帛。

下編記載藥物八十三種，包括穀類十六種，粳米、赤小豆、小麥、大麥粥、大豆、豉、大豆黄卷、粉、膠飴、麯、麻子仁、清酒、白酒、苦酒、黍穰、炊單布；血氣類三十八種，牡蠣、水蛭、虻蟲、白蜜、阿膠、猪膽汁、猪膚、猪膚膏、猪骨、鷄子黄、鷄子白、鷄肝、鷄血、鷄冠血、鷄矢白、鱉甲、鼠婦、䗪蟲、蜂窠、蜣螂、蠐螬、獺肝、羊肉、文蛤、白魚、蜘蛛、犀角、亂髮、左角髮、人乳汁、人垢、人尿、人屎、牛肚、馬屎、牛屎、狗屎、熊鼠屎；金石土類二十一種，石膏、朴硝、芒硝、龍骨、雲母、鉛丹、赤白石脂、禹餘糧、代赭石、滑石、消石、紫白石英、礬石、寒水石、食鹽、戎鹽、黄土、白粉、灰；水類八種，東流水、甘瀾水、井華水、潦水、泉水、地漿、漿水、泔水。末附温粉方。

書中闡釋藥物的内容，主要包括「辨曰」、藥性功效主治、「泰人按」三部分，分别記載了藥物異名、日本俗名、藥鋪用名、産地、采集、炮製、鑒别、藥性、功效、主治、應用注意等。例如，中編「乾地黄」條載：「辨曰：和産最佳，以和州者爲第一，筑州次之，華産者性味稍劣。俗醫不知，但眩華産之稱而貴重之，豈非貴耳賤目乎？凡使，水浸須臾，洗去土氣，剉，曝乾用。性甘微苦，凉血養血，補真陰用療崩中帶下及胎動下血，鼻衄吐血，男婦一切血病，悉主之。泰人按：生、乾地黄性用相同，而生地黄汁能除熱，故瘧及傷寒百合病等數用之。」又如下編「猪膽汁」條云：「辨曰：即步太那以也。猪者，固非此邦之畜矣。近好事者偶養之，然不供服食之用，是以其膽難得而求焉。性苦，勝熱潤燥。泰人按：猪膽性純陰，勝熱潤燥。仲景數用，而加入於熱劑中者何？蓋寒性能誘純陽而入於獨陰之中，使其氣相從而無格拒之患也，白通加猪膽汁湯、四逆加猪膽汁湯是也。」

綜上，本書記述《傷寒論》《金匱要略》所載藥物二百零八種，并將其分爲草木、穀、血氣、金石土、水五類，辨而正之，主要記載藥物的産地、采集、炮製、鑒別、藥性、功效、主治、應用注意等多方面內容。

## 三　特色價值

《傷寒論金匱要略藥性辨》爲大江學參考前人著述與個人親身實踐經驗而編成，是對《傷寒論》《金匱要略》載用藥物的辨正，亦是日本醫家學習與辨識藥物的重要參考著作之一，具有較高的臨床參考價值。

書中約一百五十種藥物冠以「辨曰」二字，「辨」取辨正之意，主要記載藥物異名、日本俗名、藥鋪用名、原植物、産地、采收、炮製、鑒别等內容。藥品産地主要包括中國、日本、朝鮮、海西等，常常會比較各地藥材之優劣。如上編「附子」條曰：「華産大塊者佳，小者性弱。本邦近亦出之，然黑色小瘦，性最薄劣，不堪使用，土地使然也。」又如上編「柴胡」條言：「自海西來者，陳久多蠹蛀，不任用。和産最良。」凡例第四條載：「凡藥異邦無來，來亦僞雜難用，而自采得而真者，草木辨苗葉花食，其他詳形色出處，以便訪問焉。」故本書中對部分和産的藥材記載其原生植物。例如中編「大戟」條載：「辨曰：華舶載來者，僞多真少，和産佳。然藥鋪不貯，宜自采用。今處處平澤多生之，春初出紅芽，及長，直莖二三尺，中空，折之有白漿，葉長狹如初生柳葉而不團，其葉密攢而上，八月采根曝乾，剉用。」

本書非常注重鑒别藥材的真僞優劣。如其凡例所云：「凡藥有真僞優劣者，必辨諸各藥下，不然者否……和産藥品出鬻市人手者必辨之。」辨藥物之真僞，如中編「白頭翁」條云：「辨曰：華舶不賫來，藥鋪今以青葙花僞充而貨之。」辨優劣，如上編「黄連」條云：「辨曰：和邦處處出之，深黄鮮明肥大者，佳；細瘦色不彰者，性味稍劣。」

關於炮製，本書凡例特别指出大部分藥物不需忌銅鐵；「凡藥㕮時，忌水漬及湯浸，宜直㕮用，否則損藥性」；「凡藥花葉及有芳香者，概皆忌火，恐脱其性也」。書中還記載陶隱居造乾薑法、《傷寒論》作甘瀾水法、《外臺秘要》造淡豉法等藥物炮製方法。

對於過去未考證清楚的張仲景用藥，大江學則給出自己對藥物的辨識，即凡例第七條所言：「凡藥無考於中華書者，各藥下必辨爲其何物，且附其性用，恐方之廢也。」如下編「消石」條載：「泰人按：『本經』鱉甲煎丸方中有赤消，古人未及討其爲何物，概皆替用海藻。此邦名古屋玄醫嘗注《金匱要略》，亦闕疑而不敢論之。以此自計，予不敏，何識而能發明之，宜亦自已。然方今辨二書之藥性，豈獨避此一火消耶？因辨之以俟識者之議論云。辨曰：消石者，焰消也，一名火消，又曰赤消。按皇甫謐云：消石生山之陰，鹽之膽也，三月采于赤山。以此觀，則所謂赤消者，赤山消石之謂也。或取於火色而謂之赤歟。蓋爲一物也，無疑矣。」即大江學認爲消石即焰消，亦名火消、赤消。

大江學對藥性有獨特的認識，凡例第八條載：「凡藥，《神農本經》以來曰氣味曰主治，總言之則不出於一藥性之外，故今但曰性，不曰氣味、主治。」第九條言：「性者，自天所禀之本性。各藥有此性而後有此用。」大江學十分重視藥物的五味，主張忽略藥物的四氣。凡例第十條云：「氣者，寒熱温凉平。其中顯然者，石膏、芒硝曰寒，附子、乾薑曰熱，如此之類，僅不過十數種，其他有一二論説，概皆臆度之空談，無關於識不識之論，是以不取焉。」在第十一條指出：「味者，辛酸甘苦鹹淡澀，最是醫門之要領，故各味必不可不嘗而識焉。」書中除猪膚一味外，其餘二百零七種藥物均記載藥性，包括五味、功用、主治，如中編「桔梗」條云：「桔梗：性苦，行上部氣利咽喉，用療胸脅刺痛，咽喉痛。」

書中約有三十種藥物，作者附以按語，多標明爲「泰人按」。此按語主要闡釋藥物功用主治、臨床應用注意及其與相似藥物的辨別。如中編「防己」條載：「泰人按：防己元一種，後世爲二種，乃其佳者自漢中出，文作車輻解，名曰漢防己今所用防己是也。他處者，虚軟有腥氣，爲木防己，究竟則但精粗之分耳。如朮防己湯方，後人誤爲木防己湯，方中終至令朮不用焉。醫人不悟，用之而病不已，則歸罪於《金匱》。豈不冤耶？」

張仲景《傷寒論》《金匱要略》傳入日本後，因日本與中國自然氣候、人文風俗等存在一定差異，與日本本土實際相結合，日本醫者臨證處方用藥亦逐步具有本土特色。如下編「炊單布」條載：「蓋華人炊飯，有與此邦異，但用甑於釜中蒸米而成之……故謂炊單布。今宜取蒸餅上單布久用者而燒灰用。」大江學還指出部分和産藥材應慎用，如上編「枳實」條云：「和産者乃是臭橘，俗呼革賴大之是也，非枳，决勿用。」

大江學治學態度嚴謹，勇於求真，注重親身實踐，曾親赴藥市、藥鋪、田園等處考察，書中多處提到其親嘗藥物、炮製藥物的經歷。如上編「半夏」條載：「都下有半夏麯，人多貴之。余嘗試，殊無味，恰猶嚙燥土。」下編「阿膠」條云：「余往年十二月手自作牛皮膠，其色赤黑，光潤如豎漆，夏月不濕軟，亦無皮臭，大異於尋常所貨者。」

本書引證廣博，參考引用數十種中日文獻資料，包括《靈樞經》《神農本草經》《名醫別録》《備急千金要方》《外臺秘要》《嘉祐本草》《本草衍義》《證治準繩》《本草彙言》等中國醫著，皇甫謐、孟詵、蘇恭、張元素、李杲、李時珍、喻昌等中國醫家之言論，以及香川修德《藥選》等日本醫籍。此外，還引用《吕氏春秋》《世説新語》等文史著作。

綜上所述，本書廣徵博引，并融入了作者多年親身實踐的經驗，具有鮮明的日本本土特色，對臨床運用經方有較高的參考價值。

## 四　版本情况

《傷寒論金匱要略藥性辨》撰成於日本明和三年（一七六六），次年刊行。此本今藏於日本國立國會圖書館、國會圖書館白井文庫、京都大學圖書館富士川文庫、廣島市立淺野圖書館小田文庫、杏雨書屋、楂菷書屋❶。

本次影印采用的底本，爲日本國立國會圖書館白井文庫所藏刻本。此本藏書號「特1—80」，四眼裝幀。原書三編，但此本僅存中、下二編，每編一册，共存二册。書皮分别題「傷寒論金匱要略藥性辨中編」「傷寒論金匱要略藥性辨下編」。内封分别標明「中」「下」二字并貼有藏書號。兩編首葉均題「雷門學之泰人著」，書末一跋。四周單邊，無界格欄綫。每半葉十行，行二十字，注雙行。版心白口，上單黑魚尾，書口刻「藥性辨中」「藥性辨下」的書名及卷次、葉碼。

---

❶（日）國書研究室.國書總目録[M].東京：岩波書店，一九七七：（第四卷）三七三.

綜上所述，《傷寒論金匱要略藥性辨》不同於尋常的本草著作，是記述《傷寒論》《金匱要略》所載藥物的專著，書中的藥物功效、主治基於張仲景原方，對經方臨床應用具有較高的指導意義。此書爲大江學結合多年親身考察成果與文獻考證而作，具有濃郁的日本本土特色，可供臨床及研究工作者參考。今影印出版此書，希望爲讀者研究日本本土明和年間的藥材種植、藥物炮製、藥材貿易、真僞鑒別、臨床應用，以及探討日本與中國、朝鮮等國的藥材流通提供獨具特色的史料，爲當今研究《傷寒論》《金匱要略》所載藥物提供有益的借鑒。

韓素傑　蕭永芝

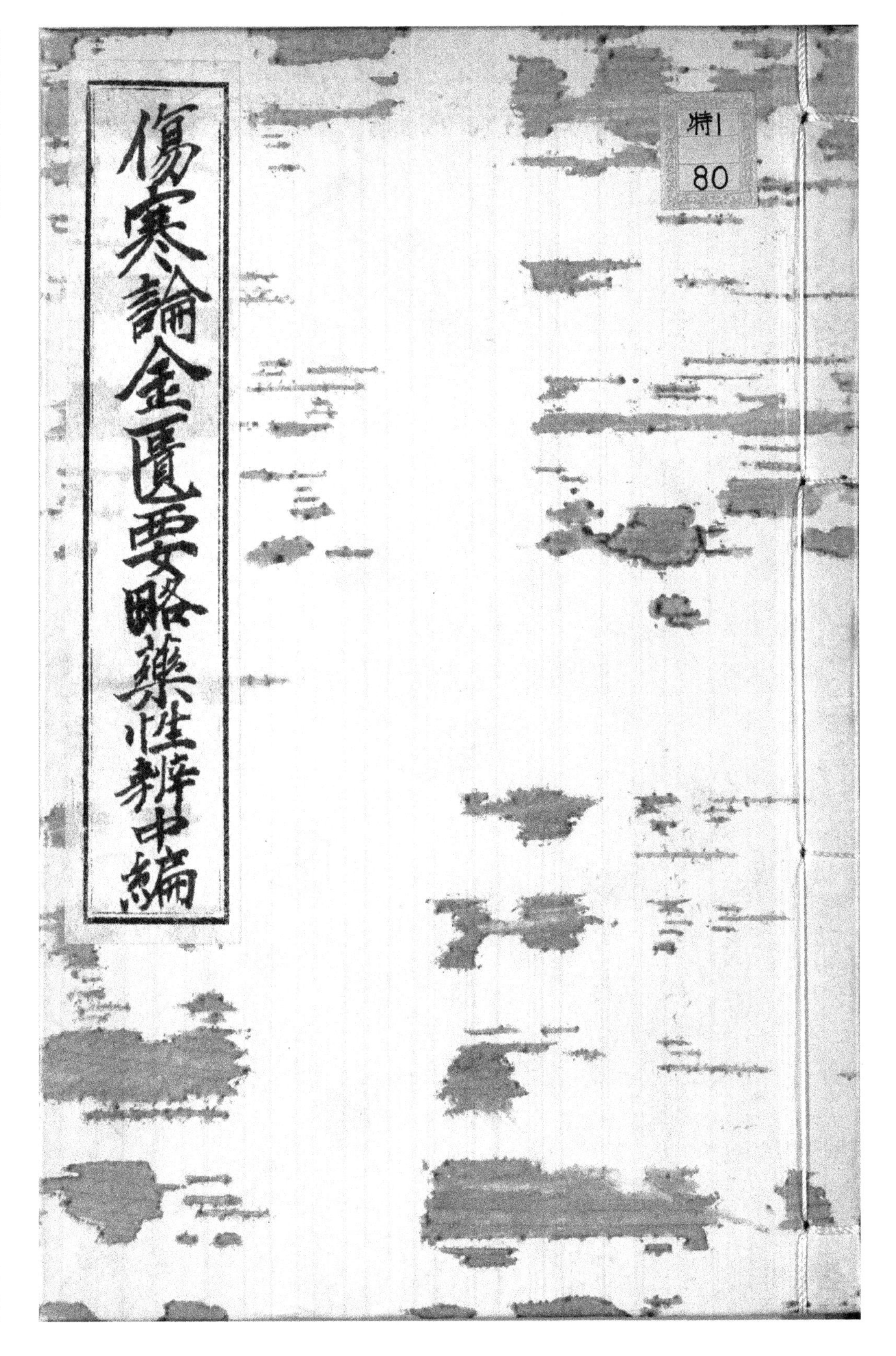
傷寒論金匱要略藥性辨中編
特1
80

25.10.31

中
3-17
特1
80

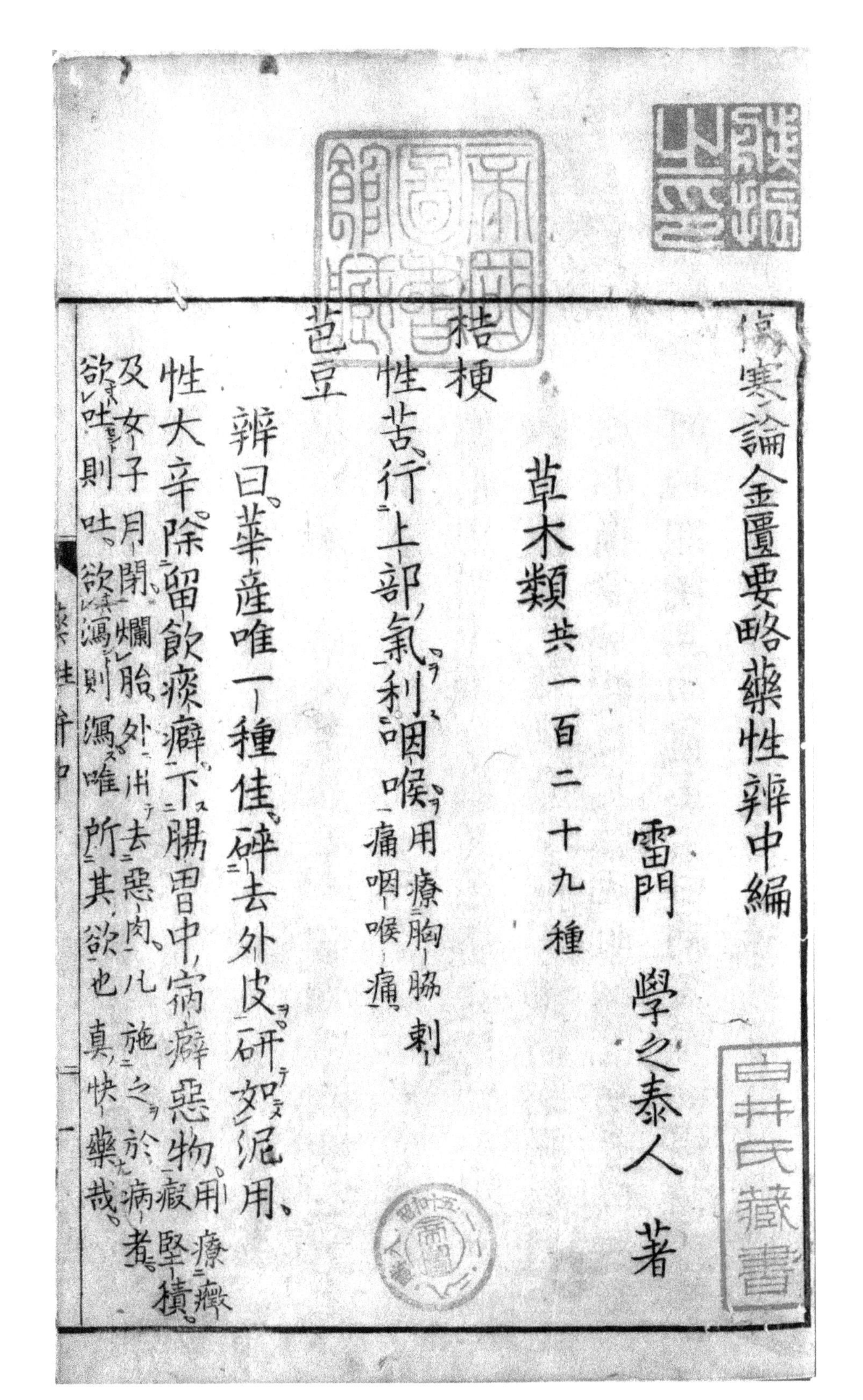

傷寒論金匱要略藥性辨中編

雷門　學之泰人　著

草木類共一百二十九種

桔梗

性苦、行上部氣、利咽喉、用療胸脇刺痛咽喉痛、

巴豆

辨曰、華產唯一種佳、碎去外皮、研如泥用、

性大辛、除留飲痰癖、下腸胃中宿癖惡物、用療癥瘕堅積、及女子月閉、爛胎、外用去惡肉、凡施之於病者、欲吐則吐、欲瀉則瀉、唯所其欲也、真快藥哉、

泰人按芭豆固快藥也其能定死生於瞬息之間是以善用者活人不善用者殺人而復用者不少焉余曩見爲之喪命者因記爲慎戒云

花川坊一商人其年五十餘性嗜酒飲之一斗尚有温克之貌冬初一日食減心中懊憹手足微痛因引小酒自慰且忍痛起行一二里少快數日後値天陰雨身乍有寒熱而胸脇微悶手足加痛令余診之其脉沈而細緊病者曰此爲何病期幾日而愈焉余曰病名痺初得諸中寒而氣血凝滯汝忍痛而不治再復感湿雨邪相

得而流關節因無出焉於是逆行搏津液所以
胸脇苦悶手足疼痛也其愈不可預期早則三
五十日晩則百餘日與病者辭焉其夕族甥某
者誘一醫人來自稱京師流進到病牀問其所
苦也頭至尾而診脉如怠曰病不從外而從内
但湿毒與流飲而已汝得嘗無患陰疾乎病者
曰無之唯二十年前患疥癬二年愈而不復發
焉豈是乎醫曰是也是也湿毒内釀二十年今
發此病然易治余能蕩下此毒而令治汝七日後
快奔走則如何病者大悦於是與芭豆梅肉等

藥一百丸飲之其夜將三更病者呻吟而告曰今也心胸如掣脇腹似破欲吐而不吐欲瀉而不瀉困苦不可言余幾死與家人駭召醫醫到曰吁病邪有餘而藥力不足宜乎其有困也因令取熱湯和丹藥一匙而進之困苦益劇矣須臾病者太呌一聲吐血二升許頃亦下二三升而昏迷如死手足逆冷白汗漉漉家人皆泣醫佽然曰瞑眩哉瞑眩哉病邪既除亦何憂焉既而歸明日醫到病者既死家人憾怒而討其所以死醫赧然太息曰余何預知哉此固天命也

夫醫於病者。但治其疾病而已。命數豈所延焉。言終而去。其外甥其以告余。余聞之謂嘆乎甚哉。天下誠無延命之藥。而反有促命之醫。如阿叔者。病不必愈。復不必死。遭夫京師流而死。則不可謂天命。是可謂非命也。顧彼知其固命數則如無療。既已投藥且揚言謂可愈。之見其死而後謂命。是何異於刺人而殺之曰非我也兵也。此醫最可謂無慚忍人耳。其慟哭而去。

貝母

性微辛苦。消痰。散心胸鬱結之氣。用療心胸痛苦。及喫嗽等

芫花

辨曰、無華渡者、有亦僞雜、藥鋪呼和芫花者乃鼠麴草、勿誤用、但宜自採用、今處處花肆有之、呼措子馬不食是也、木似拘杞而高一二尺、春半開四辨小紫花、一枝數十花、花落後生葉、似初生柳葉、二月採花、曝乾用。

性苦、去痰飲、下水（用療水飲痰癖脇下痛及水腫）

瓜蒂

辨曰、年事容埋古外那邊太取早青者、曝乾用。

性苦、頓痰停飲、及食諸果等病在胸腹中、皆吐下、之。内用療欬上氣黄疸等，外用去鼻中塞肉。

或語余曰：我師者西京之良醫也，凡藥先自嘗試而後施人，嘗謂瓜蒂非越前産，必無快吐之功矣，子謂皆佳者何？余曰：吁，爾之師良醫乎？可謂博求力試，然無益於治。蓋仲景行吐法不一焉。有可必吐者，瓜蒂散之類是也，服之即吐者愈，不即吐又服得快吐止。有不可必吐者，梔子厚朴湯、梔子干姜湯之類是也，服之吐者愈，不吐者亦愈，如何則解煩泄滿下氣散氣劑故也。如彼瓜蒂湯，仲景嘗為夏月傷冷水，水行皮中者而設焉。顧瓜蒂性最苦，服之或吐，或瀉，而涌泄胸中之停水，則肺氣得暢而皮間之水自下趨矣豈必吐焉乎故本經不言吐之但曰頻服又按昔在張戴人治顫振病其文曰服涌劑則吐痰一二升至晚又下五七升痰小愈待五日再一涌出痰三四升如雞黃叟以手顫不能自探妻與代探咽嗌腫傷因知古人行吐劑若不吐則探此必常法今余每用瓜蒂等之吐劑或即吐或不吐而但惡心其惡心者就而探之則吐彼自吐與探吐俱能收其功則豈必遠求於越州而後為得吐乎此余所以謂無益於治也

瓣蒲莧切音辦瓜中
瓤犍又片也
瓤如羊切壊平声瓠瓤
瓜中犀也
瓠瓤瓜中実

瓜瓣

瓣曰。甜瓜瓣也。蓋古人於甜瓜止言子與蔕而不及瓤與瓣。至宋代嘉祐本草始列甜瓜。自此諸家本草俱言瓜瓤。而不復別瓣。夫瓤何肉也。瓣何瓜中瓤犍纏子者。靈樞論疾診尺篇類註云大便赤瓣者血織成條成片也又曰瓣者瓜瓤之類。俗呼埋古外烏里耶。索乃哥俱此肉類。雖有解煩通纏之性。柔弱平穩之食物。豈得除病痾耶。然本經用破肺癰者。蓋連子取之故也。若不連子。唯瓣則不能成功。瓣與子相得。而後可以奏奇効也。方下言瓜瓣一升則連取子而量者可知。

性甘。除煩熱，通壅塞，破肺癰膿血。

瓜子仁

辨曰。甜瓜子仁也。收得曝乾，研如泥。以紙三重裹壓去油使用。不爾則油脂緊滿，不受煮煎也。

性甘。除腹內結聚，破潰膿血。用療腸胃脾內癰之要藥。

知母

辨曰。華産者佳。藥鋪稱真知母者乃和産。此味稍良。唯小為異，良可用。

生地黄

性苦。瀉肺火，補腎水。用療傷寒，久瘧煩熱，消渴熱中辨曰。新掘起者也。洗去土氣。於臼中杵之。絞取汁用。蓋生地黄不常在焉。臨時求則難得。須預栽園中。以備急矣。

性甘苦。解諸熱。補真陰。涼血養血。用療崩中帶下。及胎動下血鼻衄吐血。男婦一切血病。悉主之

乾地黄

辨曰。和產最佳。以和州者為第一。筑州次之。華產者。性味稍劣。俗醫不知。但眩華產之稱。而貴重之。豈非貴耳賤目乎。凡使水浸須臾。洗去土氣。剉曝乾用。

性甘微苦。凉血養血補真陰。用療崩中帶下及胎動下血、鼻衄、吐血。男婦一切血病悉主之。

泰人按。生乾地黃性用相同。而生地黃汁能除熱。故瘧及傷寒百合病等。數用之。

麥門冬

性甘。去心肺熱。潤燥強陰。用療煩熱勞熱燥渴等。補心潤肺下痰飲止咳嗽。

茵蔯蒿

性苦。去脾胃中滯瘀熱。通小便。用療黃疸通身發黃、小便不利等

呉茱萸

性大苦辛温中去久寒通經滯氣下逆氣用療心腹冷痛
腰痛寒疝及脚氣冲心
沉寒痼冷病等皆良

黄蘗

性苦除勞熱及腸胃中結熱殺蟲用療骨蒸熱及
腸澼下血目赤熱痛黄疸
等止腹痛

連軺

辨曰本經注云連翹根今人多以連翹替用是
以藥舖不貯宜自採用

梓白皮

性苦觧脾胃中鬱熱利小便

辨曰華舶齎来者甚稀也有亦積年陳藥本經見言生皮則是難使用蓋梓為木華人稱木王而以為美材處處園中多栽之此邦不材用是以必好事者偶栽之乃楸屬木似桐而葉小四月開花五月結角子細長如箸俗呼氣索索奇是也剥去粗皮取白皮用

性苦去湿熱毒用療時氣温病壯熱及瘀熱在裏而發黄者等

或曰梓者華邦之美材也今見氣索索奇雖高不過丈餘雖大不充一拱而多屈曲不可謂美材子以為如何荅曰周禮云橘渡淮北而化為

枳貉踰汶而死梓猶然生彼則美生此則否水土各異也。

葱白

辨曰。俗呼許多木食是也。去根及青取白者寸餘所用。

性辛温。利中通陽氣。出汗。用療傷風感冒。開表發汗。緩骨節。利大小便。

薤白

辨曰。此物關西地方最多。關東殊無之。土俗名曰辣杏是也。去根及青。取白者寸許所用。

性辛温。利中散結氣。用療胸痺心痛。除寒熱。去水氣。

烏梅肉

性酸。下氣止利。伏蚘蟲。用除煩滿消腫。療蚘厥心痛嘔吐者。兼解魚毒。

當歸

辨曰。和産最佳。和州者為第一。越州次之。他邦者亦可用。

性甘。去惡血。養新血。潤中。用療癰疽。排膿止痛。凡女人瀝血腰痛崩中。婦人産後惡血上衝者等。皆宜之。

蜀椒

辨曰。和邦淺倉山椒是也。蓋華邦川蜀地椒最佳。故曰蜀椒。又呼川椒。此邦丹州淺倉者佳。因呼為淺倉山椒他州者不及焉火炙汗乘熱搗之去内薄皮用。

性辛辣温中散寒殺蟲。用療腹内冷痛止利除濕兼治留飲宿食解鬱結止牙齒痛煖子宮。

椒目

性苦辛下水利小便。用療水氣脹滿及疝氣下利又治腸間有水濯濯然者。

通草

辨曰即木通也俗呼挨蝎皮革紫頼是也採根曝乾用。和産真也華舶載來者非真勿用。

性淡利小便通筋脉氣。用療淋瀝癃閉等暢筋通脉

升麻

辨曰華産者佳藥鋪呼骨骨里升麻是也

性微辛苦升擧陽氣行瘀逐皮膚邪用療陽陷眩暈久泄下時氣頭痛寒熱風腫消斑疹

萎蕤

性甘益虛去熱用療虛勞客熱時氣熱勞瘧寒熱等

麥門冬

性甘潤燥滋陰下肺火

白頭翁

辨曰華舶不賫來藥鋪今以青箱花偽充而貨

之殊不知白頭翁固用根俗醫亦不悟數用而誤人豈不長大息乎今和邦處處原野多有之其葉頗似艾而苗高八九寸多白茸毛春末抽一莖莖頭開六瓣紫花如木槿花花落而後唯有白毛蕊團團如雞子似纛頭及白頭老翁故名焉俗呼治餓法乃是也八月採根曝乾剉用

性苦除血分熱逐血止痛用療熱毒下利紫血鮮血者兼治金瘡

秦皮

性苦洗肝藏退血分熱用明目除翳障與白頭翁同往能治熱毒下利

商陸

性苦。瀉水病。

海藻

辨曰。俗呼伏大外賴是也。水浸洗數次。曬乾使用。

性鹹。下水散癭瘤。

竹葉

辨曰。淡竹葉佳。俗呼法之骨是也。取葉用。

性微辛苦。宣利氣。去胸中痰熱。用除胸心痰熱、療欬逆上氣等。煩渴。

竹茹

辨曰。淡竹者佳。今藥鋪所貨者。多皆葦竹茹。性味略同。而不如淡竹茹之最勝矣。

性甘。除痰開胸中氣。用止嘔吐呃逆。療心胸氣鬱結嘿嘿然者。

薏苡仁

性甘。療肺痿。健脾胃。

防已

辨曰。華舶載來者佳。

性微苦辛。通小便。去膀胱熱。用能治中下腫。療風腫水腫脚氣腫滿等。

無行十二經。

泰人按。防已元一種。後世為二種。乃其佳者。自漢中出。文作車輻解。名曰漢防已。今所用防已是也。他處者虛軟有腥氣爲木防已究竟則但精粗之分耳如朮防已湯方後人誤爲木防已湯方中終至以朮不用焉醫人不悟用之而病不已則歸罪於金匱豈不冤耶

## 黃芪

辨曰華產者佳細者實折之柔靭大者虛柔軟如綿俱微黃色性甘而補和產有稱富士黃芪者如箭簳長四五尺緊實堅脆白色粗理即是木黃芪性苦而瀉決勿用

性甘益虛實衛用補中益氣固表止自汗療癰疽久敗瘡排膿止痛痘瘡內托爲瘡

家必用良藥

烏頭

辨曰華産者佳和産性劣乏則權用

性辛消經絡中冷痰逐寒濕煖中止臍間痛用療中風歷節及寒濕痺又治寒疝之要藥也

泰人按仲景方中用烏頭或稱川烏或但曰烏頭判然如二物而煎法同用蜜治法同療寒疝則稱川烏稱烏頭豈得非一物耶顧古川蜀之地烏頭最佳而稱之猶川芎川椒之稱亦未可知焉思邈王燾去仲景未久遠其所引用方皆

但曰烏頭而不言川烏。然則川字後世所添耳。

蓋為一物也無疑矣。

天雄

辨曰。李時珍云。天雄乃種附子而生出或變出。其形長而不生子。故曰天雄。華產唯一種佳。水浸一日一夜去上黑皮剉用。

性大辛。治頭面風去來疼痛。

泰人按。其性用與附子略同。而獨能主上部之病矣。

百合

辨曰和產佳擘之泉水浸一宿去白沫曝乾用

性苦微甘利大小便去實熱百合病之主藥

苦參

性大苦除伏熱治瘡腫殺蟲用療惡瘡下部䘌等

射干一名烏扇

辨曰神農本經射干一名烏扇其葉叢生横鋪一面如烏翅及扇之形故有烏扇烏羽之諸名

華產者佳

石韋

性苦下實火除胸中熱用療欬逆上氣咽痛等皆良

性苦止煩熱利小便

牡丹根皮

性微辛苦酸除勞熱血熱去瘀血用療虚勞客熱産後及崩中帶下下血吐血等凡涼血劑中必用之藥也

瞿麥

性微苦利小便下閉血

紫葳

辨曰華舶不齎來藥舗亦不貯宜自採用今處處園中種栽之花稱淩霄根名紫葳俗呼儂前華紫賴是也八月採根曝乾用

性酸破癥瘕下血閉

## 菊花

辨曰凡撰菊花人家園圃所種其花千辨而肥大芳美稱小菊者佳曝乾去蒂用黄白紅紫間雜皆良不必撰黄花本草諸書稱甘菊而貴黄花者以土色養脾勝木之義也最鑿説今鬪花家所栽數百種下種至蕤英朝閲其蠹夕拔其莠或洗葉或去芽糞壤灌漑唯恐花之不美而且大是以發時其花芳美奇大殊非尋常所見之屬此無他菊精盡上淺於花英其功極多最

為可貴重矣藥選云以山生色黄單瓣多花味苦者為佳實是苦薏非真菊其論中數非陶氏而斥甘菊者誠是也賞苦味而貴野菊者大誤也蓋諸菊皆苦味野菊最甚故名苦薏其性損胃氣彼謂治目疾無乃傷目乎

性苦清頭目氣用療風頭眩痛耳鳴等明目去障翳

防風

辨曰自海西來者甚陳久蠹蛀過半不任使用和産最佳藥舖稱真筆防風是也一種有呼濱防風者須供菜蔬用殊非防風類勿誤用

性甘微辛。逐風去上部及皮膚關節風濕。用療風頭眩痛、骨節疼痛兼治癱瘓癘瘋等。

芎藭

辨曰。即川芎也。和産佳。

性辛。行頭腦中及血中之氣。用療頭痛筋攣等病、金瘡産後必用之要藥也。

獨活

辨曰。和産佳。藥舖稱羌活者良。臨時剉用。以咀累日則性脫氣薄不任使用。華産者嘗試辛辣麻舌。人難得服用。且其形矮小。恐非真物。宜勿用。

性苦辛逐風湿邪出汗敗血用療賊風百節痛風

脚氣疼痛及風腫湿

腫又散癰疽

瘡疥等皆良

山茱萸

性酸益腎陰添精髓用煖腰膝冷治腦

骨痛強筋骨

薯蕷

辨曰即山藥也和邦處處出之皆佳新好絜白

者良刋去腐黒剉用

白歛

性甘強腎陰益虛

辨曰華産者佳藥鋪稱和白歛者多以蕃薯僞充之宜辨別焉

性苦去熱生肌止痛用療癰腫瘰癧及刀瘡不歛等皆良

酸棗仁

性甘益肝氣助陰氣用療虛煩不得眠等者

乾漆

辨曰黒漆桶中自然乾久久而狀如蜂窠者佳入藥搗碎炒熟用藥鋪又有呼岩乾漆者即是石炭俗名革頼素移水火燒成硫黄氣史所謂呑炭為啞是也誤用嗄人聲音宜辨別焉

性辛破瘀血癥塊利小腸去蚘蟲用療閉血血積墮胎金瘡腸出不收者火燒薰之即入矣

紫菀

性苦益肺氣治肺用療欬逆上氣喘等

疑冬花

性苦微辛治肺用療欬逆上氣喘等

皂莢

性大辛澁利九竅用療肺癰喉嗽者細末擦入鼻中開氣起卒死

辨曰華產猪牙者佳

泰人按皂莢性猛烈人難堪服諸藥不應時而

用之藥也。余嘗當一起、及下咽、棘針四面刺漸解後、辟辟猶半日許。因知難輕用耳。

澤漆

性苦。除皮膚熱、去水。用療大腹水氣四肢面目浮腫等

白前

性微甘。治胸脇逆氣。用療欬上氣喘等

葦又名蘆

辨曰。毛萇詩疏云。葦之初生曰葭、未秀曰蘆、成長曰葦。

莖　性甘。利胸氣、清肺。用療嘔吐肺癰等病

根　性甘。去胃熱、客熱。用止渴療胃嘔逆。又能解魚蟹毒。

甘李根白皮

性下逆氣、泄癖氣、用療心煩逆奔豚氣、兼治消渴。

橘皮

性苦、和脾胃、下氣、用消痰止嘔、進食調味。

狼牙

性苦、去濕熱、殺蟲、用洗惡瘡疥癬、服之殺蟲。

大戟

辨曰、華舶載來者僞多、真少、和産佳。然藥鋪不貯、宜自採用。今處處平澤多生之。春初出紅芽、及長、直莖二三尺、中空、折之有白漿。葉長狹如初生柳葉而不團其葉密攢而上八月采根曝乾剉用。

性苦下惡血通太小便去水。用療水病及飲病下瘀血閉血上腹滿急痛。

敗蒲席及灰

辨曰。俗呼華馬莫矢路是也。久卧者佳。

性淡破瘀血利小便。用療打撲墜下等損瘀在腹刺痛者。燒灰酒服血當下。

栢葉

辨曰。側栢葉。俗呼哥能天革矢外是也。

性微苦辛。能治諸血止血。用療吐血下血崩血等皆良。

栢實

辯曰今藥鋪蒸去皮取仁而貨之稱栢子仁良可用

性甘潤中益血用療虛損不足者

艾

辯曰俗呼要木奇是也五月六月時採野生者曝乾去根及莖用勿用熟艾

性苦止血止腹痛固胎用療吐血下血崩血等症安胎

紫參

性苦散瘀血除腸胃熱用通血閉療心腹積聚等

訶黎勒

辨曰。即訶子也。凡使以水濡紙裹之三重煨去梗用。

性苦濇。破胸膈結氣。濇腸。用療胸滿止久泄下利良。

敗醬

性苦。除暴熱濕熱。用療火瘡疥瘡痔癰腫等。

王不留行

性苦。能治血行血止血。用療金瘡。止血逐痛出刺。又治婦人產難出乳汁

蒴藋

辨曰。今處處田野多有之。俗稱骨索答子。又呼

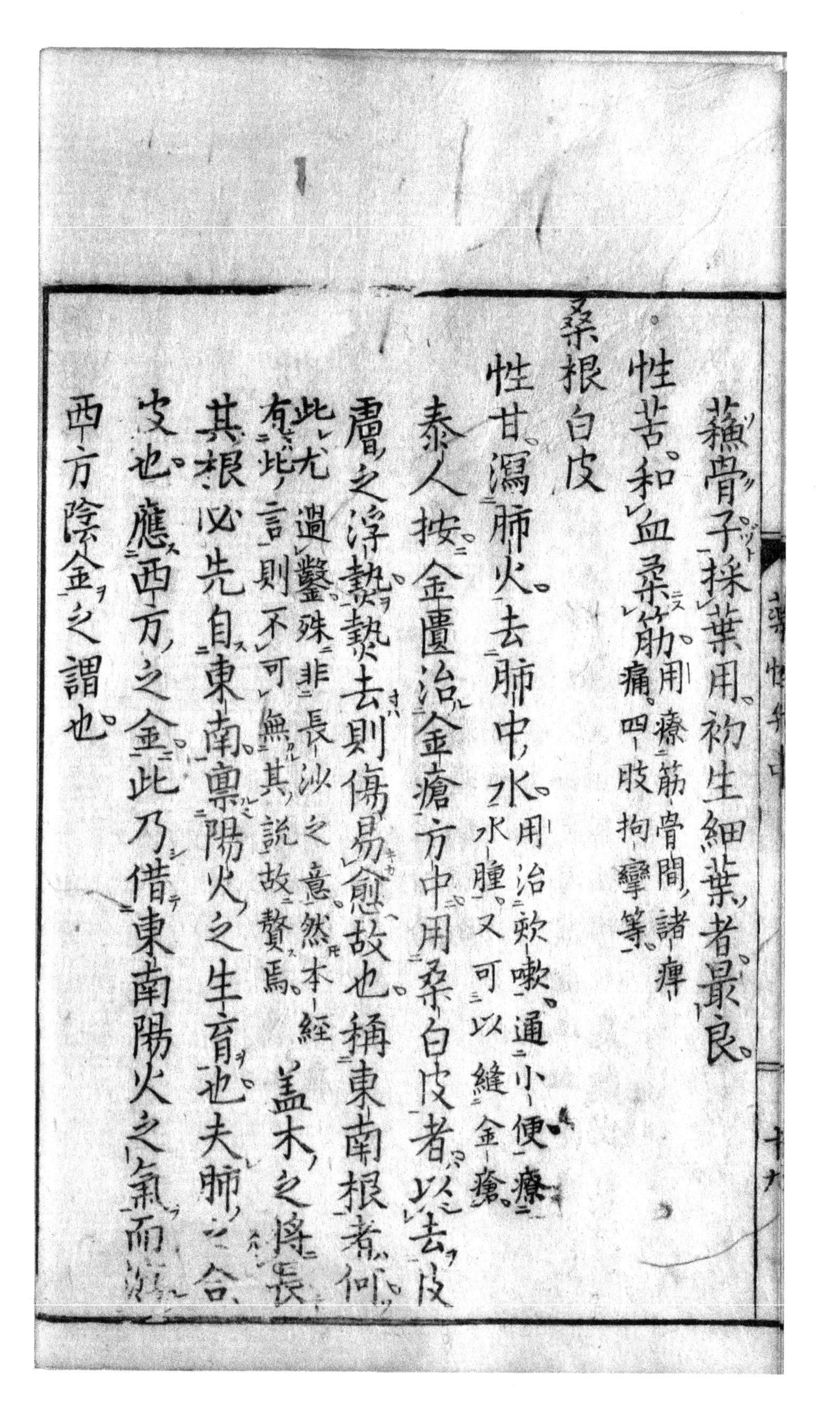
蘊骨子採葉用初生細葉者最良

性苦和血柔筋用療筋骨間諸痺痛四肢拘攣等

桑根白皮

性甘瀉肺火去肺中水用治欬嗽通小便療水腫又可以縫金瘡

泰人按金匱治金瘡方中用桑白皮者以去皮膚之浮熱熱去則傷易愈故也稱東南根者何此尤過鑿殊非長沙之意然本經有此言則不可無其説故贅焉蓋木之將長其根必先自東南稟陽火之生育也夫肺之合皮也應西方之金此乃借東南陽火之氣而瀉西方陰金之謂也

葵子

辨曰。和産唯一種。藥鋪稱冬葵子者良。陶隱居云。以秋種葵覆養經冬至春作子者謂之冬葵。入藥性至滑利。春葵亦滑。不堪藥用。從是以來皆呼為冬葵子。今按不拘冬葵春葵。但新者佳。陳久者不堪用。

白薇

性甘。利小便除熱行血。用療水病通乳汁。能治婦人乳内腫痛。

乾藕葉

性苦。除身熱下水。用療暴熱客熱濕瘡。及傷中淋露等良。

辨曰即紫蘇也

性辛下氣散風寒解魚毒用療傷風頭痛鼻塞等去邪發汗又解魚蟹毒

紫蘇子

性微辛下氣行氣用療欬逆上氣喘等

土瓜根

辨曰即王瓜俗呼他賣子索是也八月采根曝乾用詳于括蔞條

性苦破瘀血散聚血用通血閉消癰腫等皆良又新搖起者宜用導大便

旋覆花

性微鹹下氣去痰通和血脈用消心胸痰水留飲等療半產漏下

紅藍花

辨曰。即紅花也。

性微辛。多用破留血。少用養血。用療產後血運及惡血不盡絞痛者等。

蛇牀子仁

辨曰。和產佳。凡使蒸擣皺去皮採仁用。

性苦。益腎。開元陽之氣。用溫婦人陰。強男子陰。

大腹檳榔

辨曰。太腹子也。乃檳榔中一種。腹大形扁。味最澁者。亦係土產之異。爾與檳榔皆通用。今宜用

檳榔也

性苦澁、宣利藏府壅滯、下氣逐水。用治積聚疝氣、胸膈滿結氣逆、嘔吐、療脚氣冲心之要藥。

鬼臼

性辛、辟惡氣不祥。辟温方中或用之。

菖蒲根

辨曰、石菖蒲根也。

性辛、開心竅、通九竅。用療耳目不聰明、音聲不出者等。

韮根

性辛、開胸中氣、除胃熱、生擣汁解毒。用療藥毒、狗咬毒、乃蟲毒。

馬鞭草

性微苦。破血殺蟲。用療癥瘕血積。及下部䘌瘡等。

冬瓜擣汁

性甘。除熱解毒。用療煩渴等。解魚蟹毒。

蒜

性辛温。利中除邪氣。用温中宜利氣。避風寒。

泰人按。本經用之。治中蜀椒毒氣閉者。蓋取辛散能開通心胸。散下閉氣耳。

新絳

辨曰新染絳也夫絳者茜草所染而染縞素者
謂之絳染絲所織者謂之緋蓋絳與緋者一而
二者也我
日本上古傳此染法而染絳緋稱曾禮乃以那穀奴者蓋是也
中古時傳紅花染法而染絹帛謂之木覓所滅
今之紅是也天下之人皆服之於是國家有制自非
中貴人則不許服絳緋絳緋者茜草染乃是古制且經久而色不衰故
貴重之禁服者而後人稱為由而矣許也取得
所以分尊卑也
許而服
之義也自此以來紅花染盛行而終失茜染之
法是以今茜不能染絹帛古制由而矣者為絳為緋今由而矣者但

纔其絶者乃藉木染也　唯染綿布呼揲華揑所滅是也可
權用蓋無眞絳緋不得已故也
又按茜根性活血行血能治崩血黄絹亦養血
止痛二物相合則宜養血治半産漏下蓋新染
氣轉壯故仲景稱新絳俗醫不悟以木蒐充之
夫木蒐者紅花染紅花固破血豈同茜耶而用
之以望愈病是猶抱薪而救火欲莫熾亦不可
得焉

緋帛

性苦活血養血用療半産漏下崩中等

辨曰。染絲所織者。詳于絳下。燒灰用。實燒存性也。言燒灰

者。從本經文。

他皆倣之。

性止血。止痛。行血。用療打撲傷損等。

已上九十四種

藥性辨中編畢

特1
80

特1
80

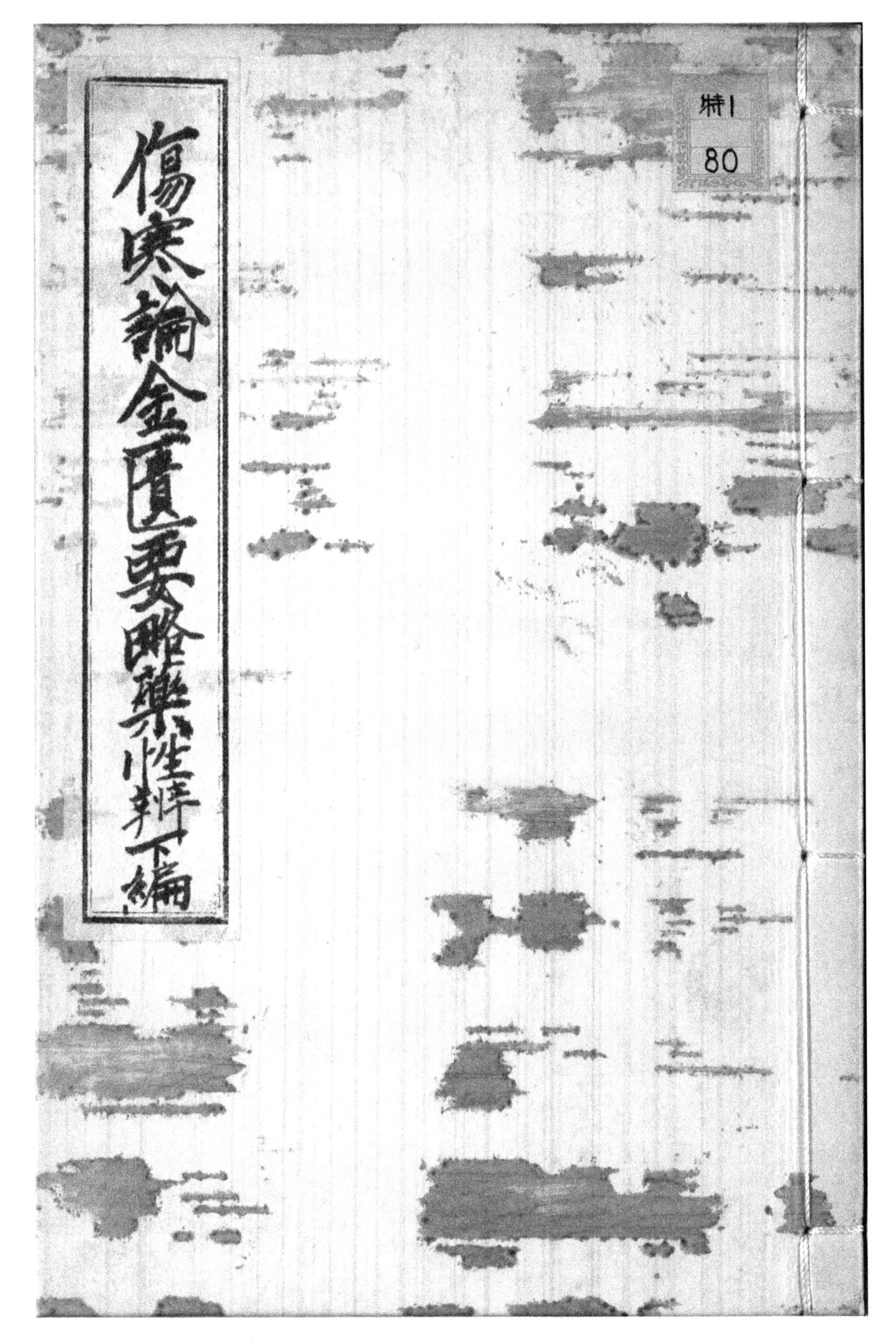
傷寒論金匱要略藥性辨 下編
特1
80

特1
80
下

# 傷寒論金匱要略藥性辨下編

雷門　學之泰人　著



穀類凡一十六種

粳米

辨曰陳久不蛀者佳

性甘潤中益氣下氣用止煩渴止嘔止洩又在至剛之劑中而能看保胃

赤小豆

辨曰大粒鮮赤者佳陳久者多黯赤勿用凡煎服者蒔卑濕地厚覆之日灌水五七日外土氣

充出芽乃取曝乾用。爲吐劑。直研粉用。

性微甘鹹醒。除胃中鬱熱。下水散惡血。用療瘀熱在裏、發黄者及癰膿、疥癬、湿腫、水腫等。

小麥

性甘。養心除客熱。利小便。用療煩渴、咽燥等、心病宜之。

大麥粥

性微鹹。下氣調利中。除客熱。用止煩渴等。

大豆

辨曰。黑大豆也。直剉用。

性甘微鹹腥。利水除胃熱。解毒。用療水腫脹滿、脚氣腫滿、鮮魚鰕毒。

及蟲毒諸毒藥毒

豉

辨曰豉有鹽豉淡豉二種入藥用淡豉用黑大豆造之外臺秘要造淡豉法云用黑大豆二三斗六月内淘淨水浸一宿瀝乾蒸熟取出攤席上候微温蒿覆每三日一看候黄衣上遍不可太過取曬簸淨以水拌乾湿得所以汁出指間為準安瓮中築實桑葉蓋厚三寸密封泥於日中曬七日取出曝一時又以水拌入瓮如此七次再蒸過攤去火氣瓮收築封即成矣

性苦。除熱下氣，解諸毒。用療傷寒煩躁滿悶等。又除乳石燚毒為煩熱者。

大豆黄卷

辨曰：陶弘景云：黒大豆為蘖牙，生五寸，長便乾之，名為黄卷。

性甘。益胃氣，潤皮膚。

粉

辨曰：粱米粉也。粱者何粟也。古人稱粱，後世呼粟粟。類數種，黄者佳。黄復有粘、不粘之二種。入藥用不粘者。俗呼烏而挨外是也。水洗曝乾，研粉使用。

性甘。益胃氣。和中止洩。

泰人按仲景治蚘蟲痛。用粉與甘草白蜜。而未言何粉矣。予嘗讀千金外臺等之書。皆引此方。而言粱米粉。因知仲景所謂粉者。為粱米粉也。蓋粱米其性甘美。補中益胃氣。本經云。蚘厥心痛。經毒藥而不止。顧是脾胃衰弱甚。仲景用之補之實有旨哉。

又曰。都下今稱古方家者甚衆多。槩是盧豆邑莊之人士。胸中曾無一字之學術。暗中摸索仲景之方。而謂仲景制粉蜜湯也。用粉錫殺蟲鳴呼何其愚而且蚶耶粉錫爲性辛而有毒大掔冲和之氣雖强壯人亦非有太故則不得用况於彼中虚人乎雖間於大補之中無寧得非囊中之錐耶夫補性者緩瀉性者急蜜與甘草欲養之粉錫更傷之則禍不回踵矣

膠飴

辨曰中華造飴其類甚多和邦惟用糯米小麥制作今呼水飴是也良可用

性大甘美補虚乏和胃潤肺解烏附之毒硬糖同

性用補益氣血不足及脾胃虚損潤中止渴

麴

辨曰小麥麯也和邦山野人多造之以為味噌哥莫氣高息是也

性甘平胃氣消穀梁簡文帝勸醫文曰麥麴止河魚之疾

麻子仁

辨曰新者佳火炒挼去殼簸揚取仁用

性甘潤藏府復脉用療虛勞不足大腸風熱結燥等

清酒

辨曰即米酒也謂清酒者別濁酒亦有醇酒其最厚者也蓋華邦粳米性味淡薄不似和邦之

甘美是以中華酒多用糯米釀成性重濁多毒

和邦用粳米釀成清醇無毒

性甘微辛行藥勢通行一身潤利血脉

白酒

泰人按諸家本草無載之者性用大抵與清酒相同但以有別爾

辨曰米酒始熟未釃而酌取上澄者名為白酒俗呼乃革古米是也今酒肆有稱中汲者乃是偽作者非真物然嘗試之性味略相似可權用而備急耳 味甘微辛其性重緩居中用為引導養脾胃氣和血脉溫中散寒夫盛於外者

不能强於内。有餘于裏則不足于表。至除風寒。導諸經通行一身之表達極高之分。白酒則不及清酒。若能緩能散温利胸腹。斥陰寒則白酒最勝矣仲景治胸痹措清酒而用白酒者。蓋取於此焉。

性甘微辛。養脾胃氣。温中散寒。用温利胸腹逐陰寒。治胸痹心痛徹背者。

苦酒

性酸濇收血下氣消癰腫用收産後血暈開氣下氣逐積愈瘡

辨曰。米醋也。

黍穰

辨曰。吉皮耶華頼也。

性微辛。煮汁飲之。解苦瓠毒。風俗通曰。燒穰可以殺瓠云云。

炊單布

辨曰。甑箄上麻布也。所以施箄上而受米者。俗呼箇矢吉奴。農是也。蓋華人炊飯。有與此邦異。但用甑。於釜中蒸米而成之。世說云。賓客詣陳太丘宿。太丘使元方季方炊。客與太丘論議。二人進火。但委而竊聽。炊忘著箄。飯落釜中云云。故謂炊單布。今宜取蒸餅上單布久用者。而燒灰用。

性止血。養血生膚。用療打撲傷損等。

泰人按夫人資命於穀炊草布之為物歲月在甑中而受穀氣極多也以同氣相誘能入血肉之分燒灰用則止血養血生肌膚其用療打撲傷損者實是當然之理也

血氣類凡三十八種

牡蠣

辨曰。華吉楷頼也。水洗淨曝乾。研粉水飛用。

性微鹹而濇。固腎耎堅。解結澀水。用除心下氣結痞熱。止自汗洩精滑小便。入腎而泄水氣。消瘀癥結核。

水蛭

辨曰。華産者必。今所用皆和産。俗呼蟲而是也。

取水中小者。火焙令死。曝乾收貯。聽使用時細剉。以微火炒黄乃熟。

性鹹苦。破瘀血畜血。用通月閉。破血癥。

虻蟲

辨曰凡醫方所用虻即蜚虻然難得今所有即鹿虻大如蠅七八月間多出咂牛馬者俗呼烏水白开是也和産良去頭足翼以火炒用

性 微苦破瘀血畜血 用療癥瘕血積女子不月等

白蜜

辨曰蜂蜜也蓋仲景之外古方稱白蜜而用之者甚多然神農本經止言石蜜巖蜜古今謂之本草而稱白蜜者惟蘇恭孟詵二家耳本草衍義云嘉祐本草石蜜有二一見蟲部一見果部亂

糖既曰石蜜則蟲部石蜜不當言石矣石字乃白字誤耳故今人尚言白沙蜜蓋新者稀而黃陳者白而沙今按和邦言蜜唯是人家収養者耳若夫巖蜜蜂就深山巖石之間而為窠有蜜謂之巖蜜又名石蜜矣間雖聞有之亦甚難得矣今見尋常蜂蜜極品者新者稀而黃恰如膠飴陳者凝結白而沙此非藥鋪所常貯者欲得之者宜就人牧養蜜蜂家而求焉以此觀之則殆合寇氏之言凡醫者若不能得巖蜜之類則宜用人家所養蜂蜜極品者也又藥鋪有呼白蜜者乃用亂糖而偽作者雖有蜜名此殊酒類猶璞與死鼠

學者勿眩名而惑實矣

性甘美潤養脾胃解毒用合和百藥補虛潤中加湯中服則除心煩兼拯烏頭及半夏等之毒

泰人按仲景用烏頭方多矣或用蜜煮之或以蜜為丸每用必有蜜者何蓋烏頭有大毒蜜能制之為合藥力恰當而不過當故耳

阿膠

辨曰牛皮膠也蓋阿膠者東阿井水煮牛皮而作之故名阿膠後世多用驢馬皮然不及牛皮本草等皆云真者難得偽者多所注東阿井乃濟水取水以煮

膠用攪濁水則清以此觀則膠非東阿制則不得呼阿膠然則彼土猶難得真者而況於此邦乎決不可得矣凡今稱真者皆黃明膠（華舶所齎來牛皮膠之極品者也日非東阿井水之制耳藥舖呼箒木樣皿樣者）非真阿膠然性用亦與阿膠彷彿則亦（是也）權用近呼硯樣阿膠者真黑如炭此必以馬皮舊革鞍靴襍成者皮臭不可用予往年十二月手自作牛皮膠其色赤黑光潤如堅漆真冬月不濕軟亦無皮臭大異于尋常所貨者今醫家若不得黃明膠則宜自制耳凡使煎服者直碎用供丸散用者細碎炒為珠良（此無他直用者易烊消炒用者易細）

未故也。今醫家俱皆炒用。最可笑耳。

性甘，補肉崩勞極，潤中，治諸血病，用療吐血、下血、止血，止痛。又主崩中帶下、血痛、血枯、生血及丈夫虛羸不足等皆良。

猪膽汁

辨曰：即歩太耶以也。猪者固非此邦之畜矣。近好事者偶養之。然不供服食之用。是以其膽難得而求焉。

性苦，勝熱潤燥。

泰人按：猪膽性純陰，勝熱潤燥，仲景數用而加入於熱劑中者何？蓋寒性能誘純陽而入於獨

陰之中使其氣相從而無格拒之患也白通加猪膽汁湯四逆加猪膽汁湯是也

猪膚

辨曰禮運疏云革膚內厚皮也膚革外厚皮也然則此膚者乃燖豬時刮下黒膚之謂也

猪脂膏

辨曰時珍云凡凝者為肪為脂釋者為膏為油

今呼蠻銕丫革是也

猪骨

性微甘煎膏利腸胃通小便又用療黄疸水腫等解斑蝥芫青毒

性淡。解毒。用解諸果及馬肝毒燒灰水服

雞子黃

辨曰。即卵黃。俗呼他賣餓耶吉密是也。諸雌所生皆良。

性甘。補陰血。解熱毒。

雞子白

辨曰。即卵白。俗呼他賣餓耶矢路密是也。

性微甘。消解熱毒。用除熱止煩燥。外用生塗去毒傳金瘡及湯火瘡等皆良。

雞肝

辨曰。雄雞者佳。即尼外多里耶一吉乞木也。

性甘起陰

雞血

辨曰一旨之也

性鹹温筋骨用[illegible]

雞冠血

辨曰多索華那一二三歳雄雞者佳

性鹹煎服能煖宗筋塗面除經絡間風熱用止小兒遺溺

塗之治口喎不正者

泰人按以上三品本經用之療卒死人或塗面

或吹鼻中蓋取鹹性能走血熱血最透肌通氣

爾

雞矢白

辨曰雄雞屎有白乃臘月收採之

性利小便

鱉甲

辨曰藥舖呼土鱉甲者佳俗所謂陀何懈密那甲也焙黄用和俗呼玳瑁甲為鱉甲者大謬也

性鹹除陰火去癥瘕用療骨蒸勞熱及老瘧瘧母等良

鼠婦

辨曰華舶不齎來藥舖亦不貯宜自取用多生

甕器底及下濕處大者長三四分扁而多足其色如蚓背有横紋蹙起俗呼外賴入木矢是也去頭足使用

䗪虫

性酸破畜血利小便用療血閉血瘕小便癃閉等

辨曰華産唯一種真也去頭足用

性鹹破瘀血畜血用療癥瘕血閉等

蜂窠

辨曰即蜂房也俗呼法之耶系山中大黄蜂房有重重如樓臺者佳剉用

性甘瀉肝除熱去邪用療驚癇瘈瘲癲疾等又治風蟲牙痛

蜣蜋

性鹹瀉肝氣除熱去邪用療小兒驚癇瘈瘲大人癲疾

蠐螬

性鹹破瘀血用療癥瘕血閉痹明目去目中障翳

獺肝

辨曰俗呼華外倭踈耶吉木使時切破火焙研為末用

又曰凡用獺肝者須自看取決勿用藥鋪者如何則肝與肺形狀相類但肺八葉居上而赤黑

色。肝七葉。藥選之説實不非也在下而蒼黒色。市人以為上下有肝。俱皆收取。是以其貨者。眞贋相半。及其乾枯則難得分別矣。宜知之而勿所誤也。

性微甘。治鬼疰久嗽。

羊肉

性苦甘。補虛不足。利産婦。用補虛温中。治寒疝腹痛。及産後腹中疞痛等。

泰人按。牛羊豕豚者。華人之常膳。而羊肉猪膚等。所常在也。故古人用之治病焉。　本朝人嘗不習食六畜焉。羊猪亦其所無也。凡今醫家所取用。槩皆草木類。而生物屬者。但不過阿膠鱉甲熊膽人尿等十數品。是以遇有人而進之人。

鯉魚湯。鮑魚汁等。則病者必疾首蹙頞而惡服

之。剁於夫羊肉。猪膚等。煎汁腥螻衝鼻油膩粘

口者。誰得服之。縱強飲之亦纔入口而嘔吐。則

有損而無益。不如不用之為勝也。是故余於此

等藥品。所未曾用試也。後學者當用試而後正

余言之然否。則幸甚矣。

文蛤

辨曰。和産最多。俗呼哥法麻古里。皆上有斑文

者。是也。研粉用。

性鹹。能行津液。用止煩渴生津液。通利小便。

白魚

辨曰。一名衣魚。乃小蟲也。多生久藏書卷中。身有厚粉。俗呼矢窓是也。宜取用。

蜘蛛

性破血利小便。用療小便淋瀝癃閉等。

辨曰。蜘蛛類甚多。入藥唯用人家簷角籬頭結網如魚罾。身小尻大。深灰色。腹內有蒼黃膿者。良。餘並不用。取得火炙令死。而後收貯聽使。

性養筋溫宗筋。用療大人小兒㿉疝。

犀角

辨曰。華產唯一種。末黑。本白。藥舖呼其末為烏犀角。本為白犀角。烏者佳。白者無功。勿用。

性微鹹。涼心。治血。解毒。用止吐血。下血。鮮百毒。發痘毒良。

亂髮

辨曰。頭髮即和之華密也。燒灰用。

性苦。止血。止痛。利竅。用通小便。又能療小便淋瀝。血淋。尿血等。

左角髮

辨曰。左角髮剪取者。燒灰用。

性苦。開心竅。用療尸蹷。

人乳汁

性甘。和血止痛解毒。用解鬱肉漏脯中毒等。又外用傅目赤疼痛。

人垢

辨曰。頭垢佳也。餘處者倉卒難得。得亦不如頭垢為勝矣。取梳髮時著櫛者。收貯用。

性微苦。通淋閉解毒。

人尿

辨曰。即小便也。童男者良。

性鹹。滋陰降火消瘀血。

泰人按。人尿性鹹。屬陰而走血。用之能治諸血

病降火消瘀。産後温服一盞。收暈壓下敗血惡物甚良。又同猪膽汁加入於薑附劑中。其氣相從而可去格拒之患也

人屎

辨曰取軟者。用水和絞取汁用。

性苦。解諸熱毒。用療時行大熱。及中毒向死者

牛肚

性甘。養脾解毒。

馬屎

辨曰。驄馬通最良。取軟者用水和。絞取汁用。

或和水服。

性治諸血下衂血。用止吐衂下血崩血下打撲損瘀在脇腹中苦楚者。又金瘡血内陷胸腹堅硬満悶欲死者。和水服。衂瘀立下良。

牛屎

性利水散熱毒。用療水腫。敷惡瘡。

辨曰。和水服。

狗屎

性除熱毒。解諸毒。用治疔瘡。

辨曰。取軟者。用水和絞取汁用之。

泰人按。馬屎。牛屎。狗屎。倶能散熱解毒。單方中用治卒死中惡。凡人癖熱在中。而中惡者。或爲之氣道閉塞。而不通。忽至死者。用之則熱散氣通。或愈。或甦。其他卒死中惡。豈能得活愈耶。

雄鼠屎

辨曰。即牡鼠屎兩頭尖者是也。

性解散熱毒。用療吹奶乳癰。

泰人按。鼠屎毒馬。凡馬喰鼠屎。則腹脹而死。卑方中用解馬肝中毒者。其氣相制也。

# 金石土類 凡二十二種

## 石膏

辨曰。自海西來者佳。直碎使勿用水飛者。和邦亦出之。乏則替用。

性甘。下肺火。瀉胃火。除陽明經熱。用和中出汗。療消渴煩逆口舌乾焦不能息。及時氣頭痛氣喘身熱腹脹等。

## 朴硝 芒硝

辨曰。初得一煎成者未練。故曰朴硝。又以暖水淋朴硝取汁鍊之。令減半投于盆中經宿乃有細芒生。謂之芒硝。

性鹹。蕩除飲食積聚熱結胃閉。碎燥屎。破留血。用療傷寒結熱譫語及結胸胸腹堅硬滿痛等。蕩下宿食。治腸澼下利。消魚鱠堅肉等不化之物。下死胎。

泰人按。二硝性大同小異。但朴硝以其未練性最粗厲。能消魚鱠堅肉等不化之物。則其駃駛芒硝不如焉。至能剛能柔。蕩除結熱胃閉。下死胎之類。則芒硝蕩於其可蕩。去於其可去。而不踰規矣。此傷寒論所以數用也。

## 龍骨

辨曰。白石名。非真龍骨也。華産唯一種。白而娗骨骼者最佳。本草彙言說得而詳悉。因附於後。

倪朱謨曰龍骨一品本經謂死龍之骨陶氏謂蛻化之骨後之臆度者辯訟紛紛總之未嘗親見此韓退之所以有獲麟解也竊以龍為神物或飛或潛或大或小靈奇變化莫可色相是必無死理即曰肉血生養終須尸朊然外有爪牙鱗鬣鬚角之形內有節骨府藏吞吐之具其骨雖經蛻化寧非血肉所滋自當有髓有節有竅有絡一經火燒酒淬中之津氣油液當必滲泄雖積久土化性或常存今火燒則頑硬無焰口咽則令淡無味擣研則堅鋭不塵輾萬匝方細

纔以齒叩之仍磣磣如石屑號曰龍骨朱甚惑之間嘗過晉蜀山谷爲訪所産龍骨之處岩石稜峭谿徑墳衍則有礧礧如龍鱗隱隱若爪牙者墮地掘之盡皆龍骨豈真龍之骨有若此之多而又皆盡積於梁益諸山也要皆石燕石蟹之倫蒸氣成形石化而非龍化耳朱實有見於此不敢不爲置辨

雲母

性淡安神定魂魄固精血津液用治洩利膿血女驚癇夜卧自驚等止子漏下小兒熱氣自汗縮小便固洩精

辨曰華産和産皆良俗呼吉賴賴是也煆過用

性淡微甘煖腎益精除邪氣 用下死胎治寒瘧明目

鉛丹

辨曰黄丹也藥鋪稱光明丹者良

性微辛鎮心安神又走血分除熱 用療驚癇癲疾驚悸煩驚等外用生肌膚治湯火瘡

赤白石脂

辨曰華産唯一種赤白石脂性用大抵相同而赤石脂最勝矣

性淡濇腸止血 用療赤白下利女子崩中漏下等

禹餘糧

辨曰李時珍云生池澤者為禹餘糧生山谷者為太一餘粮蓋一物也性味功用相同入藥有精粗之別爾

性微甘濇腸去邪利用止

代赭石

辨曰華産者佳碎用

性微苦鎮心神養血氣用下胸中氣療大人小兒驚氣入腹及女子崩漏

下等皆艮

滑石

辨曰。華産者佳。碑用。不須水飛。和産亦有之。之
則替用。
性微甘。蕩除下焦實熱。利下竅。用治身熱洩瀉。通小便淋。家要藥。
消石一名赤消
泰人按。本經礬甲煎丸方中。有赤消。古人未及
討其為何物。既皆替用海藻。此邦名古屋玄醫
嘗註金匱要略。亦闕疑而不敢論之。以此自討
予不敏。何識而能發明之。宜亦自己然。方今辨
二書之藥性。豈獨避此一火消耶。因辨之以俟
識者之議論云。

辨曰消石者焰消也一名火消又曰赤消按皇甫謐云消石生山之陰鹽之膽也三月采于赤山以此觀則所謂赤消者赤山消石之謂也或取於火色而謂之赤歟蓋為一物也無疑矣

性鹹滌去積熱胃閉破堅積留血治用療黑疸瘫毋

紫白石英

辨曰華産和産倶良似水晶而六稜如削成俗皆呼水晶砕用紫白石英性用大抵相同故不強而辨別也

性安定魂魄温女子子宮男子腎中用定驚悸通小便令人有

子

礬石

辨曰。明礬也。生碎用。

性酸濇。除骨髓之固熱。去目翳。蝕惡肉。用療脚氣冲心。用水煎浸脚良。又去息肉。明目。

寒水石

辨曰。凝水石也。生鹵地積鹽之下。精液滲入土中。年久凝結而成。石者。試之漬水融化者真也。宜自采用。今藥鋪稱寒水石者。皆是方解石。勿誤用。

性微甘鹹。除熱去水。用療身熱時氣熱。五藏伏熱中熱等。又治水腫小腹痺。

食鹽

辨曰。俗呼矢和是也。繁白如雪者佳。

性甘鹹。潤燥定痛。堅肌骨殺毒。用除熱。能吐風熱痰飲。及胸中病。

戎鹽

性鹹。止痛利水明目。

秦人按。戎鹽食鹽。性用大抵相同。而戎鹽最能療目疾利水。

黄土

辨曰。伏龍肝也。即華莫豚那養計紫之取十年

以來竈額內火氣積久自結赤色者水飛過用
藥鋪所貨者多是竈下燒土勿誤用
性微辛止血止嘔　用治崩中傷及吐血下血胃反嘔吐等

## 白粉

辨曰白堊土粉也俗呼唐那紫之是也凡使納
甕尾內泥固燒過用
性微苦止血止洩溫男子水藏女子子宮冷　用為坐藥

## 灰

辨曰即白灰也其灰日久曉夕經燒灼其色黃
應淋汁以取鹹者佳研粉用

性暖。拔水爛物。用療溺死凍死。蝕諸癰惡肉。鱉甲煎丸用之。以爛鱉甲。

水類凡八種

東流水

性甘。蕩滌邪氣、利人。寫煎煮湯藥。

甘爛水

辨曰。本經作甘爛水法云。取水二斗、置大盆中、以杓揚之。水上有珠子五六千顆相逐、取用之。

性甘。病後虛弱人用之、煮藥最良。

泰人按。李時珍云。張仲景以甘爛水煎藥者、蓋水性本鹹而體重。勞之則甘而輕。取其不助腎氣而益脾胃也。

井華水

辨曰。平旦第一汲為井華水。

性甘。煎藥利人。

潦水

辨曰。降注地上之雨水。俗呼尼外打密詞是也。

取清用。勿用簷下滴来者有毒。

性淡。飲之利去湿熱。用宜煎去瘀熱湿熱等之藥。

泰人按。潦水性淡。受土氣多。故同氣相得能入

脾胃而洩湿熱利小便也。成無己云。味薄而不助湿氣而利熱。

泉水

辨曰。澗水也。俗所謂他逆那水密詞也。其泉源遠清冷者良。

性甘。止嘔去邪。

泰人按。本經治百合病湯方有四。曰百合知母湯。百合滑石代赭湯。百合雞子湯。百合地黃湯。凡四方。俱皆用泉水制百合及用煎藥者。何也。百合生也。必於山下陰阜之地。泉水所過之處。是以生長固相依附焉。故用制則同氣相得而惡汁悉出。用煎則藥勢無所廋。控其兩端竭矣。其如此則邪氣不能逃。百合病雖奇。不愈而何。

為焉仲景用藥實入神也哉

地漿又名土漿

辨曰。於清淨處掘土地作坎深三尺許以新汲水沃入攪濁少頃取清用之。

性解熱毒用解一切魚肉果菜藥物等中毒凡人中毒腹痛不止煩悶者皆良。

漿水又名酢漿

辨曰。陳嘉謨云漿醋也。炊粟米熟投冷水中浸五六日。味酢生白花色類漿故名若浸至敗者害人。

性微甘酸。緩中下氣用開胃進食。止煩渴嘔吐。

## 泔水

辨曰。即米泔水。俗呼矢類密詞。蓋淅米第一次第二次者。清而可用。故又名淅二泔。

汚濁不可用。

性甘。清熱止渴。

泰人按。中毒方中。用洗頭泔水。治中噉蛇牛肉毒者。蓋取頭垢解毒。泔水去煩熱也。

## 附録

### 温粉方

泰人按本經大青龍湯下曰汗多者温粉粉之既已言用之而亦存其方因附於後以備便覽焉

温粉方 出成無己傷寒明理論

朮 藁本 川芎 白芷

右搗羅為細末每末一兩入米粉三兩和令勻粉撲周身止汗無藁本亦得

泰人按多汗而粉身者此無他充腠理止汗去湿而為禦再感之患耳蓋米粉能實腠理止汗件四味俱去頭面及身體皮膚風湿滑肌故也

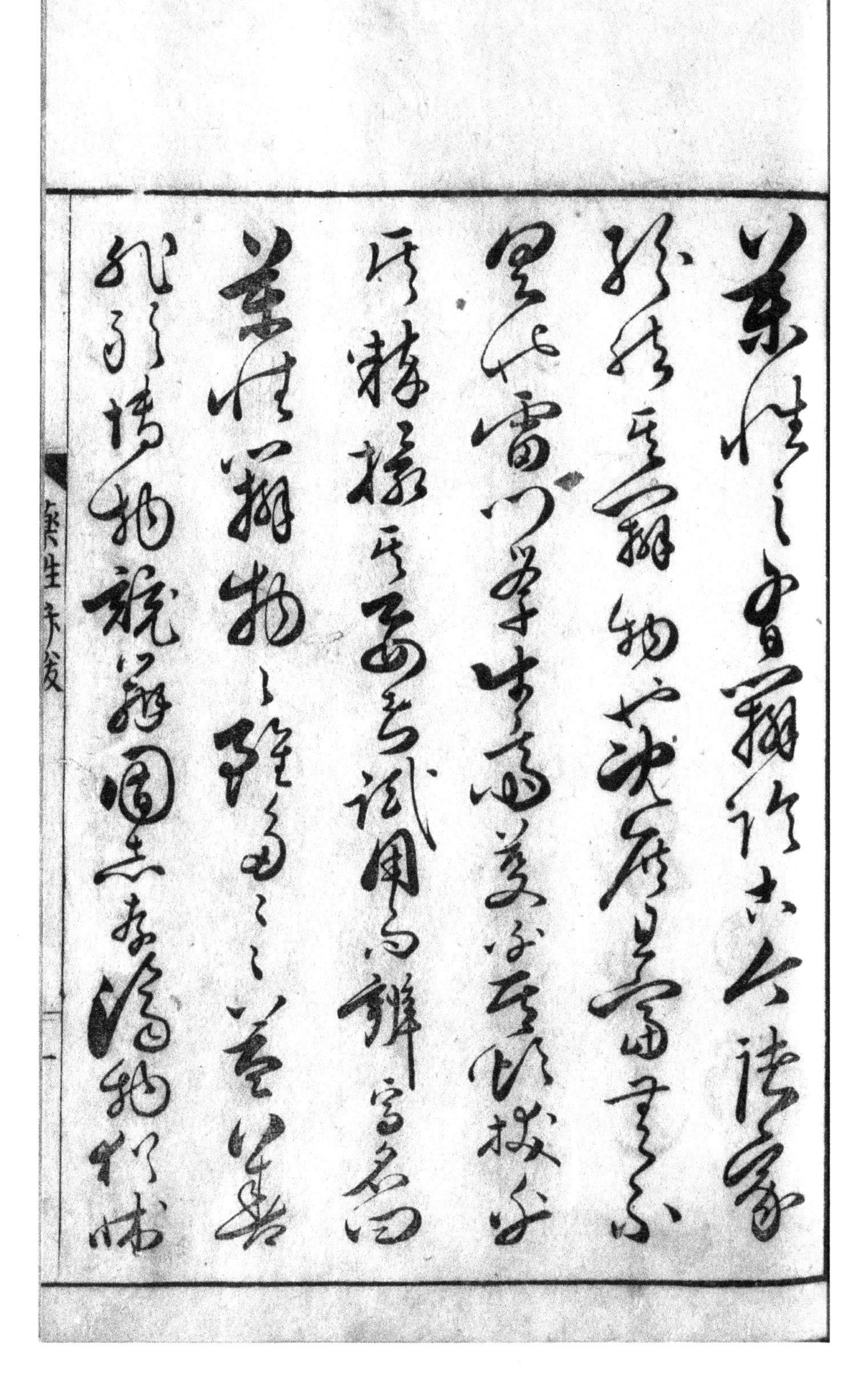

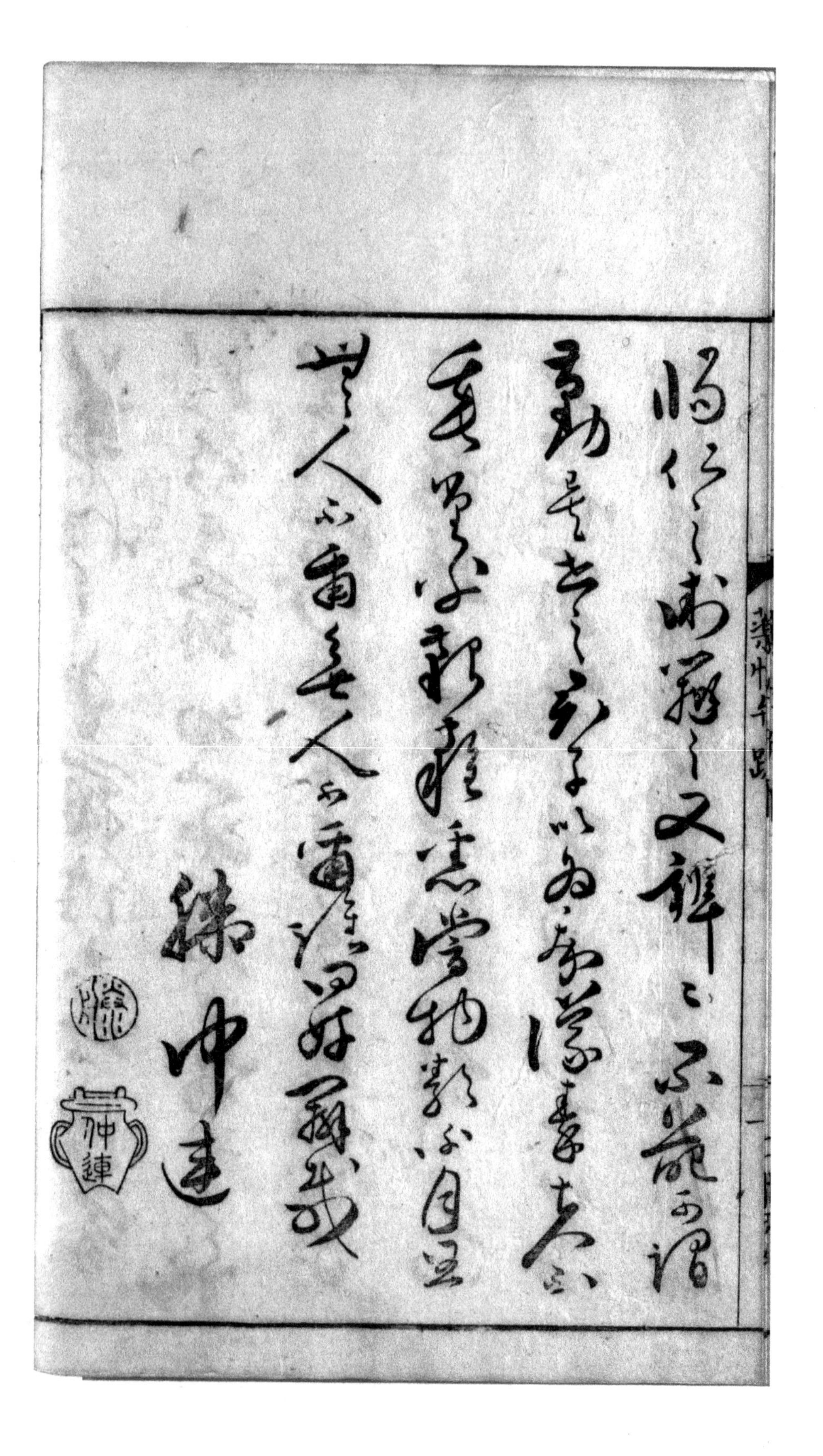

特1
80

80

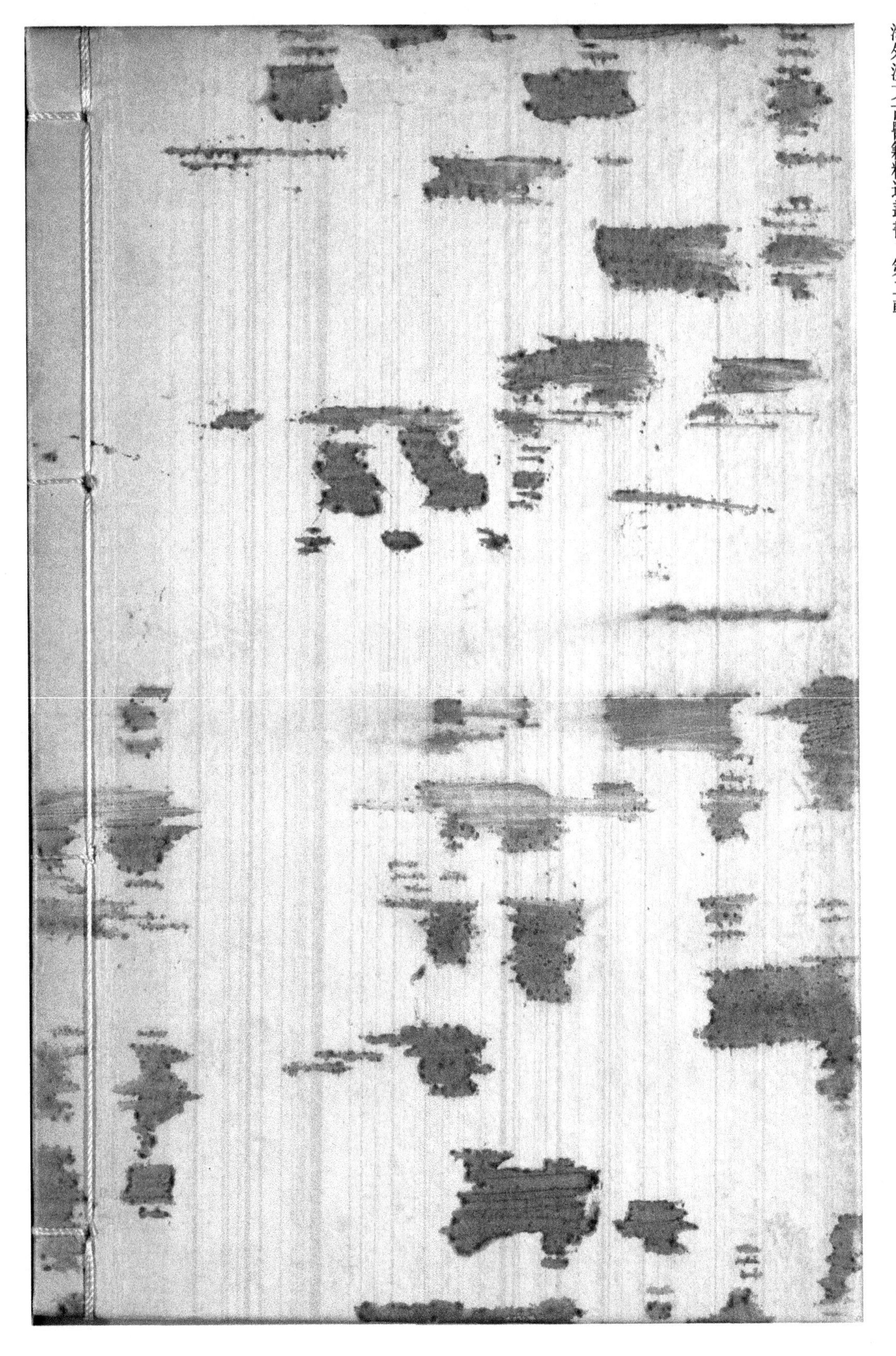